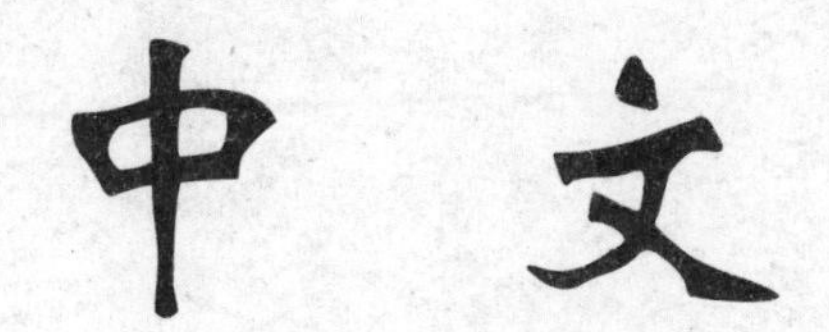

（修订版）

第七册 练习册Ⓑ

中国暨南大学华文学院 编

暨南大学出版社
中国·广州

目 录

Contents

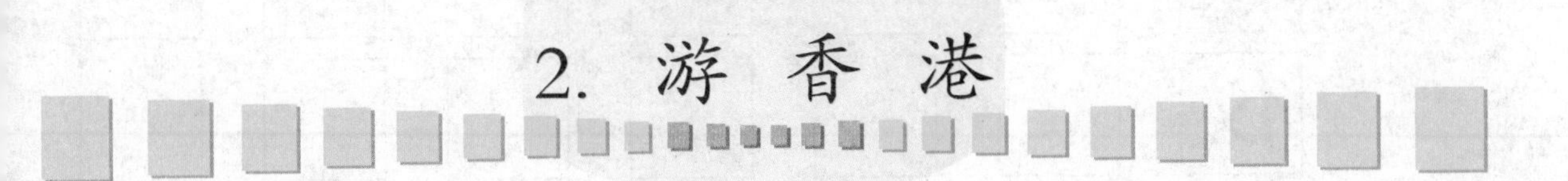

2. 游 香 港

1. 写一写：

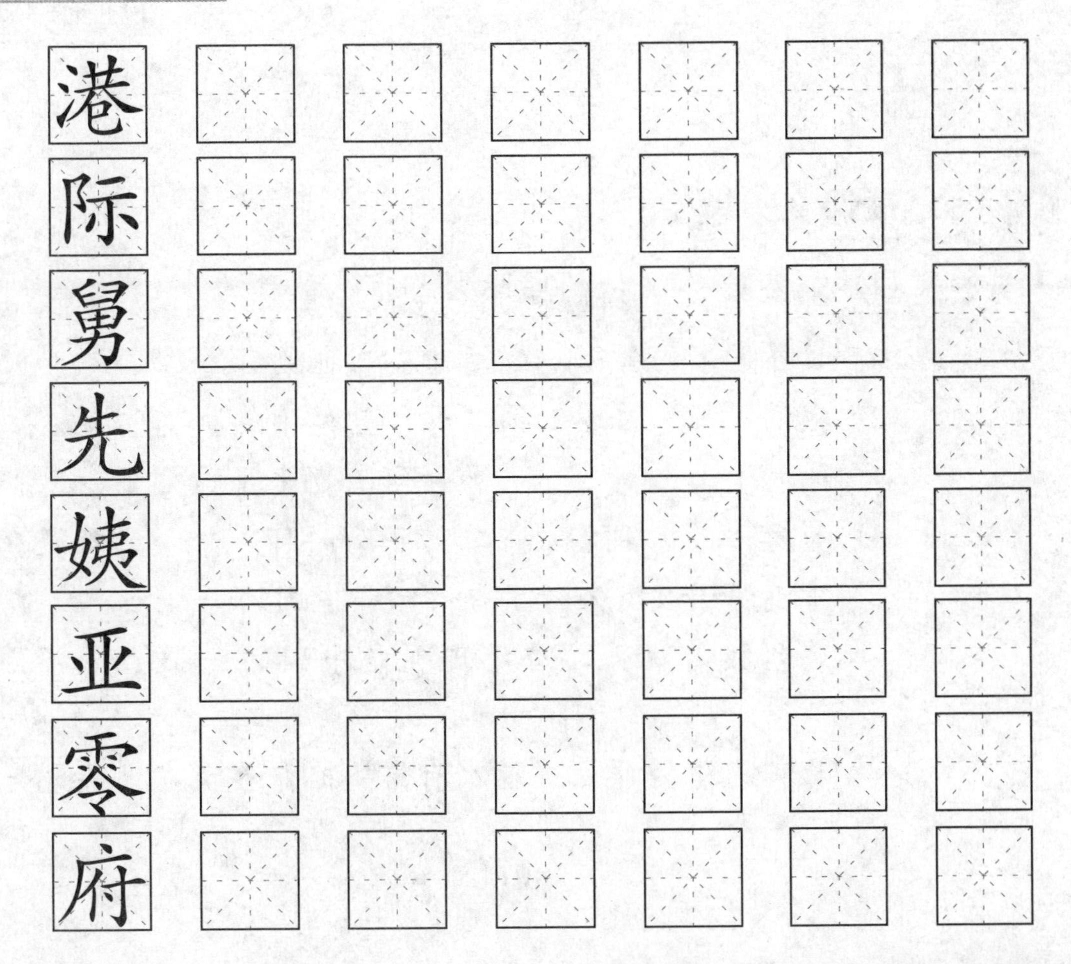

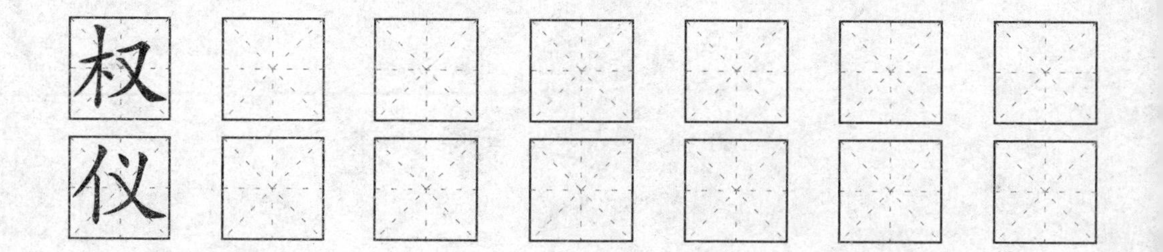

2. 在下列(liè)画线字的正确(què)读音(yīn)旁打“√”：

(1) 香港人有信心把香港建设好。

A. gāng　　B. gáng　　C. gǎng　　D. gān

(2) 香港被称为“东方之珠”。

A. zhū　　B. zū　　C. cū　　D. chū

(3) 香港是国际大都市。

A. jī　　B. jì　　C. xī　　D. xì

3. 读课文，填(tián)空：

(1) 香港是________的国际大都市，被称为____________，是世界著名的金融(róng)、航运中心，也是有名的____________。

(2) 我们________香港的第二天，舅舅开车带我们首先来到港岛的太平山上。________和________也来了。

(3) 舅舅________我们：“1997年7月1日________，就是在那儿，中英两国政府举行了香港回归中国的____________。”姨妈接着说：“香港现在是中国的一个____________，实行____________，____________，____________。首任行政长官是董(dǒng)建华。香港人有信心把香港________得更美好。”

4. 照例子连一连，写一写：

国际　　行政区 ______

旅游　　林立 ______

高楼　　六色 ______

特别　　大都市　国际大都市

车水　　胜地 ______

五颜　　马龙 ______

5. 连词成句：

(1) 香港 去 我 今年 要

______

(2) 一家 他们 住 香港 就 在

______

(3) 老师 一封信 寄 邮局 去

______

(4) 九龙 我们 车 开 来 到

______

(5) 航运 香港 的 著名 中心 是

______

6. 读句子，用加点的词语造句：

(1) 香港是世界著名的金融、航运中心，也是有名的旅游胜地。

______

(2) 我们到达香港的第二天，舅舅带我们去参观香港会议展览中心。

______

(3) 中英两国政府在这里举行了香港回归中国的主权交接仪式。

(4) 香港人有信心把香港建设得更好。

7. lǎng 朗读课文。

1. 写一写：

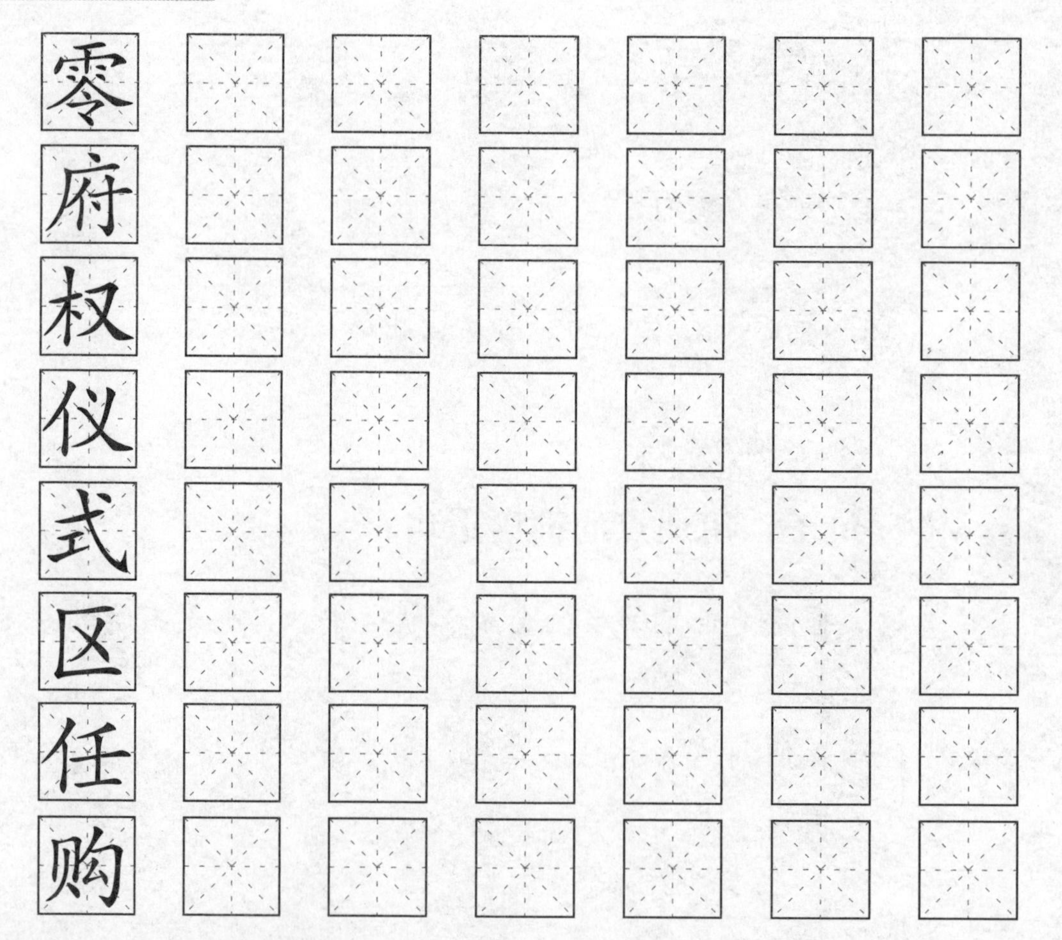

2. 照（lì）例子写汉字，再组（zǔ cí）词语：

例：兑→ 税 → 免税

巷→___→_____　令→___→_____　又___→_____

示→___→_____　付→___→_____　夷___→_____

3. 比一比，再组词语（zǔ cí）：

港_____	际_____	达_____	购_____
刚_____	寄_____	答_____	够_____
建_____	迎_____	权_____	式_____
见_____	映_____	全_____	试_____

4. 读课文，判断（pàn duàn）句子，对的打"√"，错的打"×"：

(1) 香港是现代化的国际大都市，被称为"东方之珠"。（　）

(2) 维（wéi）多利亚港的北边是港岛，南边是九龙半岛。（　）

(3) 1997年7月1日零点，中英两国政府举行了香港回归中国的主权交接仪式。（　）

(4) 我们一到达香港，舅舅就开车带我们来到太平山上。（　）

(5) 香港是中国的特别行政区。（　）

5. 选字填空：

xuǎn tián

际　寄　季

(1) 一年有四个____节。

(2) 爸爸去邮局给爷爷____信。

(3) 香港是一个国____大都市。

式　示　市　世　适　室

(1) 电子牌上不断显____出航班的起飞时间。

(2) 教____里有很多同学。

(3) 我不____合穿这件衣服。

(4) 这个____界真是奇妙。

(5) 北京是中国的一个城____。

(6) 明天要举行主权交接仪____。

6. 照例子填空：

lì tián

你	看见	没有？

7. 完成句子：

jù

(1) 舅舅带我们去太平山，____________。　(也)

zhǎn

(2) 香港会展中心____________。　(就在)

(3) 主权交接仪式____________。　(就是)

(4) 香港 ______________________________。(现在是)

(5) 表妹一手拿着望远镜，________________，对我说：“你看见没有？”（指）

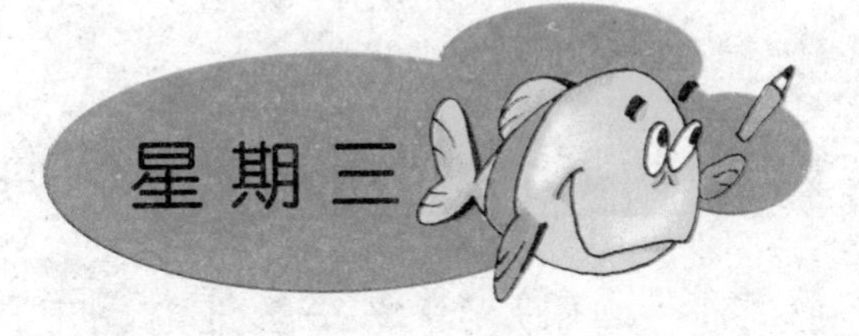

1. 写一写：

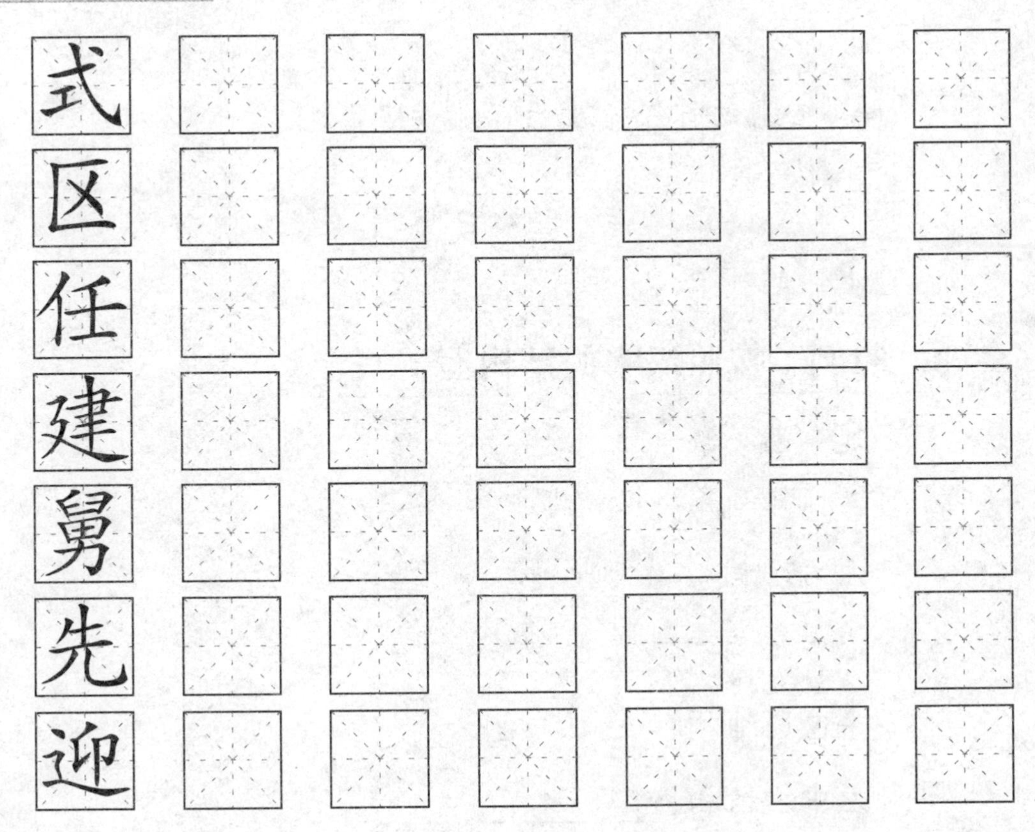

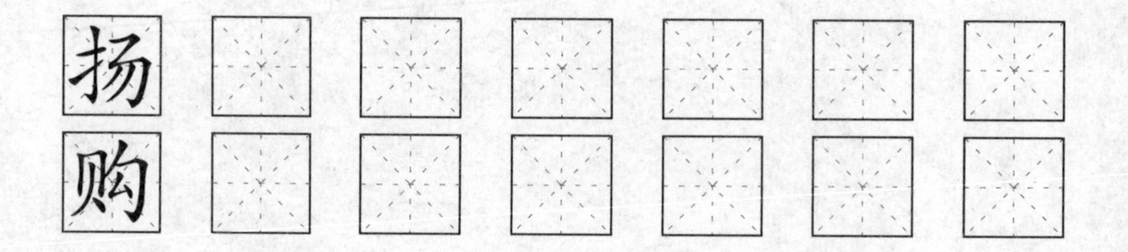

2. 在下列(liè)画线字的正确(què)读音(yīn)旁打"√":

(1) 1997年7月1日中国政府恢(huī)复对香港行使主权。

A. xuán　B. xián　C. qián　D. quán

(2) 姨妈和表妹也来了。

A. yí　B. yī　C. yì　D. yǐ

(3) 香港现在是中国的一个特别行政区。

A. qū　B. qú　C. qǔ　D. qù

(4) 香港的首任行政长官是董(dǒng)建华。

A. rén　B. rèn　C. réng　D. rèng

3. 照例(lì)子按(àn)照汉字的结构(gòu)写一写:

建　港　搬　际　府　示　迎

立　权　齐　仪　班　零　式

左右结构(gòu): 港＿＿＿＿＿＿＿＿

上下结构(gòu): ＿＿＿＿＿＿＿＿

半包围结构(gòu): ＿＿＿＿＿＿＿＿

左中右结构(gòu): ＿＿＿＿＿＿＿＿

独体字: ＿＿＿＿＿＿＿＿

4. 造句(jù)：

(1) 现代化 ______________________________

(2) 这时 ______________________________

(3) 建设 ______________________________

(4) 国际 ______________________________

5. 改病句(jù)：

(1) 这里更加显得美丽。

____

(2) 香港现在是一个中国的特别行政区。

____

(3) 舅舅开车又带我们观光购物在市区。

____

(4) 7月1日1997年，我在香港。

____

(5) 只见远处有在迎风飘扬一面五星红旗。

____

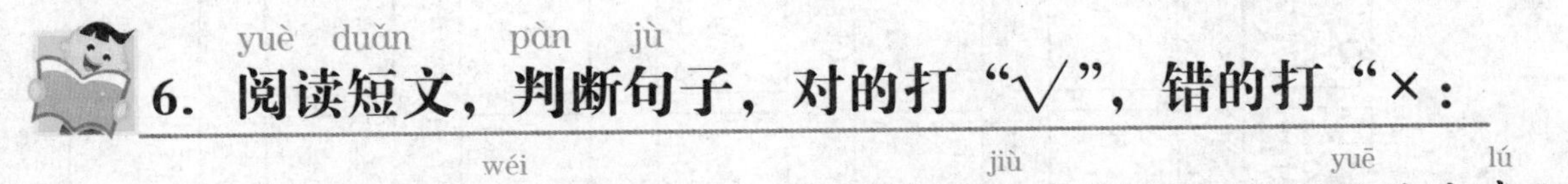

6. 阅(yuè)读短(duǎn)文，判(pàn)断句(jù)子，对的打“√”，错的打“×：

香港的维(wéi)多利亚港，是继美国旧(jiù)金山和巴西里约(yuē)热内卢(lú)之后的世界第三大良港。当年英国占(zhàn)领这个海港时，正是维(wéi)多利亚女王（1837—1901）在位时期，维(wéi)多利亚港因此而得名。该港水面宽阔，各种巨大的船只都能自由进出。

(1) 香港的维(wéi)多利亚港是世界第一大良港。 (　　)

(2) 维(wéi)多利亚港因维(wéi)多利亚女王而得名。 (　　)

(3) 各种巨大的船只都能自由进出维(wéi)多利亚港。 (　　)

7. 把课文读给爸爸妈妈听，让他们评评(píng ping)分：

评(píng)　分	家长签名

1. 写一写：

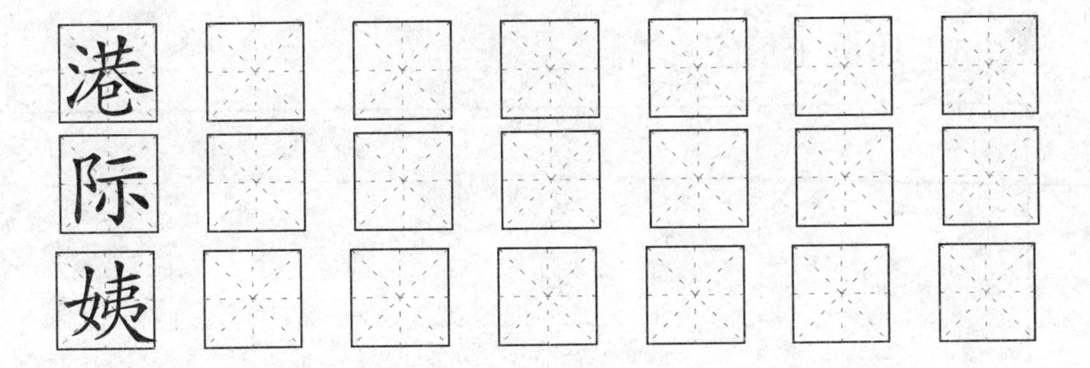

2. 照例子连一连，组词语：

lì zǔ cí

国 东 到 政 举 信 建 晚

达 心 设 际 方 饭 府 行

____ ____ ____ ____ ____ 晚饭 ____ ____

3. 照例子组词语：

lì zǔ cí

例：权 主权 权利

港____ ____ 式____ ____

区____ ____ 建____ ____

设____ ____ 迎____ ____

4. 读课文，填空：

tián

______的彩灯 ______的夜景

______的街道 ______的港岛

______的航运中心 ______的五星红旗

lì tián
5. 照例子填空：

我们	开车	来到	九龙。

6. 读课文，回答问题：

(1) 香港是一个怎样的城市？

____

(2) “我”去了香港的哪些地方？

____

(3) 站在太平山上，我看到了什么？

____

(4) 我们和谁一起游香港？

____

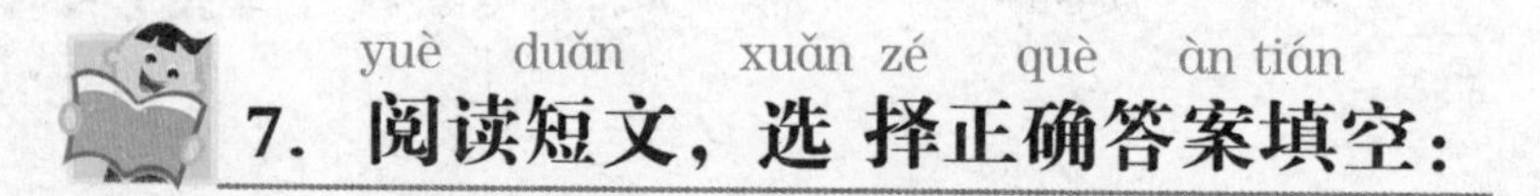

yuè duǎn xuǎn zé què àn tián
7. 阅读短文，选择正确答案填空：

1997年6月30日23时42分，在香港会展(zhǎn)中心，中英两国政府关于香港政权的交接仪式正式开始。23时59分，英国国旗在英国国歌声中降落。7月1日零点整，中国国旗和香港特别行政区区旗在中华人民共和国国歌声中升起。会场上掌(zhǎng)声经久不息。7月1日零点12分，香港政权交接仪式结束。中国政府恢(huī)复对香港行使主权。香港在经历了一百五十多年的英国殖(zhí)民统(tǒng)治之后，终于回到了祖国母亲的怀抱(huáibào)。

(1) 中国政府恢(huī)复对香港行使主权的时间是____。

A. 1997年10月1日

B. 1997年7月1日

C. 1997年1月7日

D. 1998年7月1日

(2) 香港被英国统(tǒng)治了____。

A. 两百五十多年

B. 一百年

C. 一百五十多年

D. 两百年

(3) 中英两国政府举行香港政权交接仪式的地点是____。

A. 北京

B. 英国

C. 香港

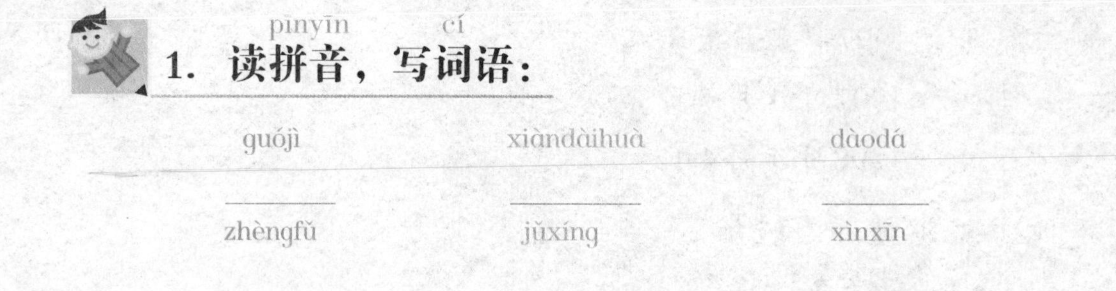

1. 读拼音(pīnyīn)，写词(cí)语：

guójì ________　　xiàndàihuà ________　　dàodá ________

zhèngfǔ ________　　jǔxíng ________　　xìnxīn ________

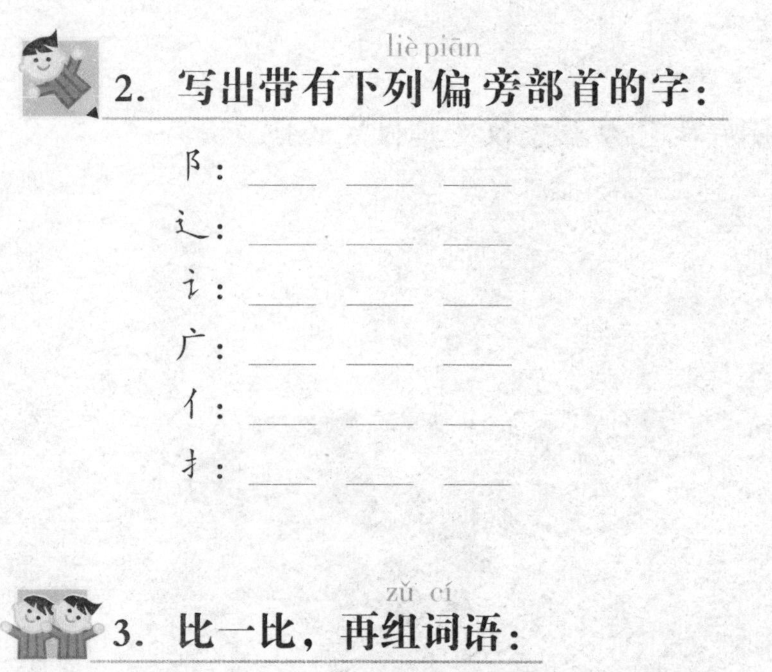

2. 写出带有下列偏(liè)旁(piān)部首的字：

阝：____ ____ ____

辶：____ ____ ____

讠：____ ____ ____

广：____ ____ ____

亻：____ ____ ____

扌：____ ____ ____

3. 比一比，再组(zǔ)词(cí)语：

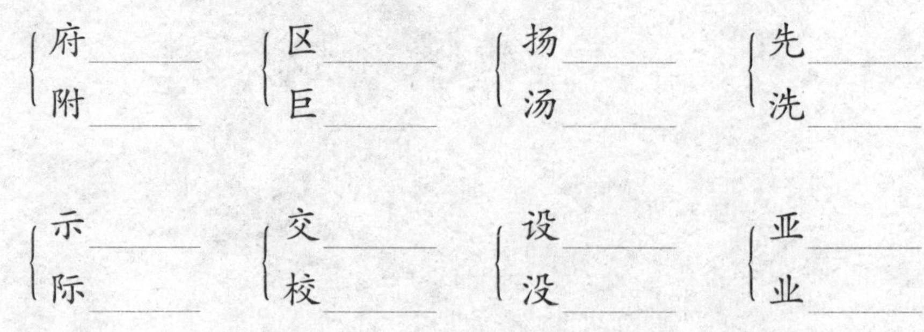

府______	区______	扬______	先______
附______	巨______	汤______	洗______
示______	交______	设______	亚______
际______	校______	没______	业______

4. 改错别字：

(1) 香港人有信心把香港建设得更美好。 ( )( )( )

(2) 我接过望远镜，顺着表妹旨的方向望去，只见远处有一面五星红旗在迎风飘杨。 ( )( )( )

(3) 1997 年 7 月 1 日零点，中英两国政府举行了香港回归中国的主权交结仪式。 ( )( )( )

5. 造句(jù)：

(1) 把 ________

(2) ……没有？ ________

(3) 飘扬 ________

(4) 迷人 ________

6. 连词(cí)成句(jù)：

(1) “东方之珠” 被 香港 称为

____

(2) 林立 海港 高楼 两岸 这个

____

(3) 繁忙 市区 一片 景象 香港的

____

(4) 回到 爸爸 北京 飞机 坐

____

(5) 有信心 香港 得 美好 香港人 把 建设 更

____

7. 绕(rào)口令：

船和床

你说船比床长，
他说床比船长。
我说船不比床长，
床也不比船长，
船和床一样长。

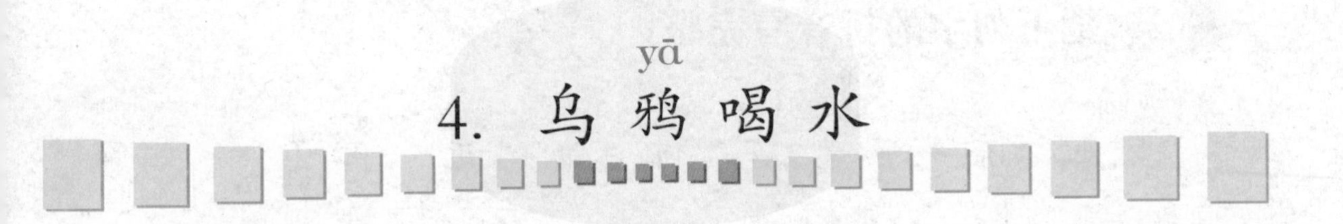

4. 乌鸦(yā)喝水

1. **写一写:**

池

井

奈

何

瓶

备

抓

2. 把下列(liè)字的拼音(pīnyīn)写完整：

__í	__ài	__uǐ	j__	h__	p___	j___	x___
池	奈	水	久	何	瓶	近	街

3. 照例(lì)子写一写：

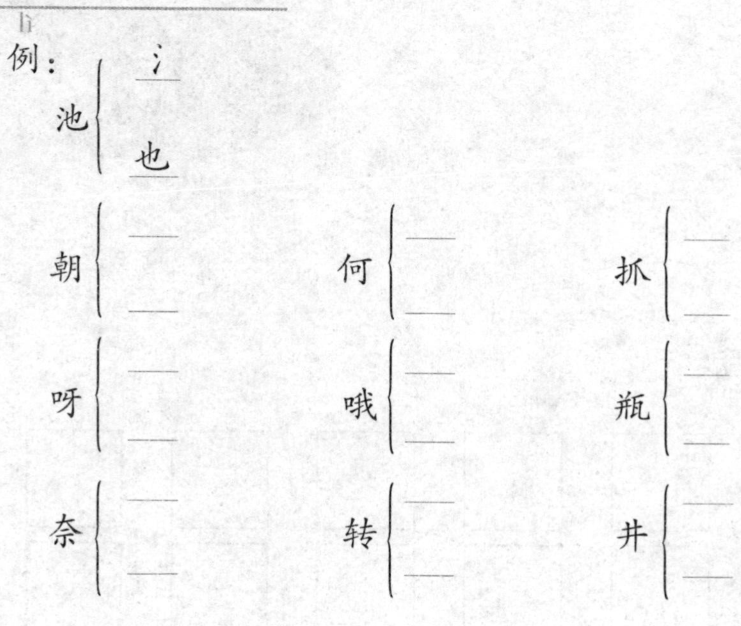

4. 比一比，再组词语(zǔ cí)：

池（　　） 何（　　） 渴（　　）
他（　　） 河（　　） 喝（　　）

奈（　　） 怎（　　） 备（　　）
奇（　　） 昨（　　） 油（　　）

5. 连词(cí)成句(jù)：

(1) 很久　这儿　下雨　没有　了

____

(2) 到处　它　找　喝　水

____

(3) 还有　呢　水　哪儿

____

(4) 这水　觉得　它　甜　特别

____

(5) 投　往瓶子里　不停地　它　石子

____

6. 读课文，填(tián)空：

一年夏天，天气特别____，很久没有下雨了。小河、_____塘(táng)和_____都干了，哪儿还有水呢？

一只乌鸦(yā)______了，到处找水______，可是找来找去都找不到。乌鸦(yā)__________地_______头，这时它忽然发现附近有一个________。

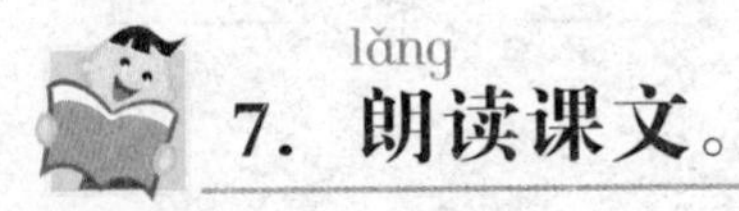

7. 朗(lǎng)读课文。

1. 写一写:

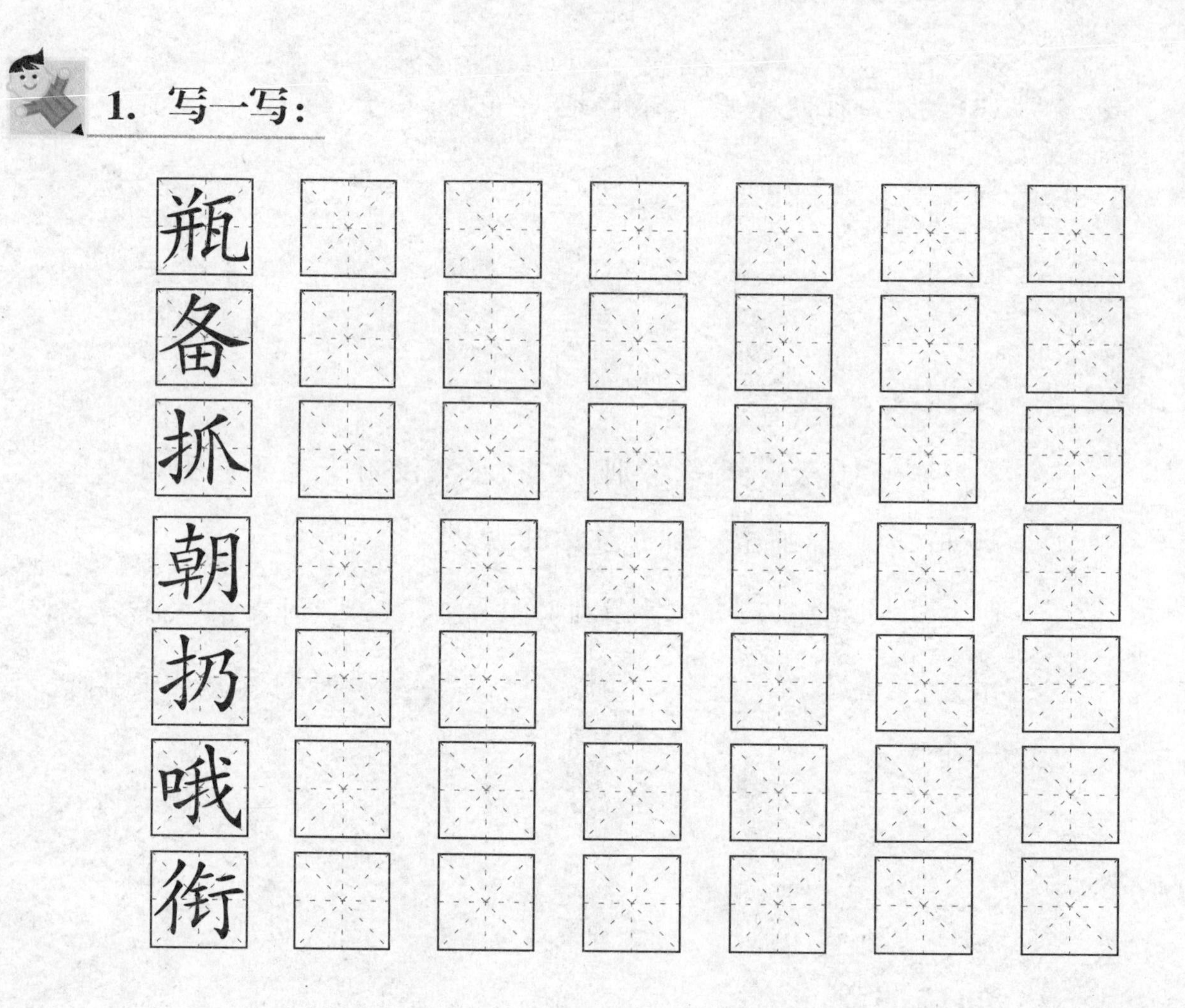

liè jù　　　　　　què yīn

2. 在下列句中加点字的正确读音旁打“√”：

yā

(1) 乌鸦发现有一个瓶子。

A. pīn　　B. píng　　C. pín　　D. pīng

(2) 它抓起一块石子扔了出去。

A. zhuā　　B. zhuǎ　　C. zhuān　　D. guā

táng

(3) 池塘里的水都干了。

A. chī　　B. chí　　C. cī　　D. cí

(4) 它衔来一块块小石子。

A. xuǎn　　B. xué　　C. xú　　D. xián

lì tián

3. 照例子填空：

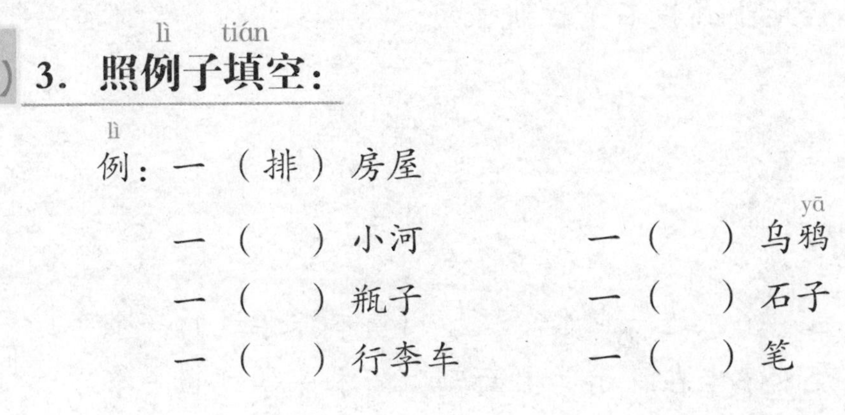

lì

例：一（排）房屋

一（　）小河　　　　一（　）乌鸦（yā）

一（　）瓶子　　　　一（　）石子

一（　）行李车　　　一（　）笔

lì

4. 照例子连一连，写汉字：

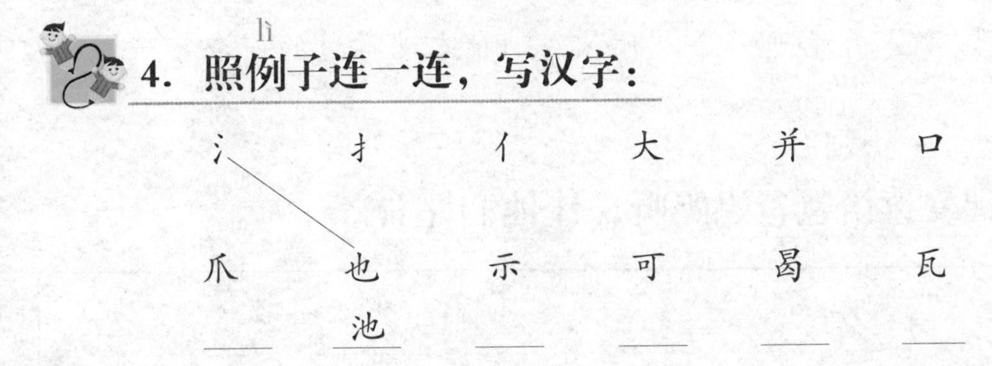

氵　扌　亻　大　并　口

爪　也　示　可　曷　瓦

____　池　____　____　____　____

jù

5. 改病句：

(1) 天气特别热，没有下雨很久了。

____

(2) 瓶子里的水太浅了，它不喝到。

____

(3) 它痛痛快快地准备喝个饱。

____

(4) 它发现附近瓶子有一个，里面还有水半瓶。

____

(5) 小鸟喝到了水终于。

____

(6) 不停地小鸟投石子往瓶子里。

____

6. 猜一猜：

(1) “也”字左边三点水。 (猜本课学过的一个字) ______

(2) “大”字坐在“示”上面。 (猜本课学过的一个字) ______

(3) 左边一个“并”，右边一个“瓦”。
(猜本课学过的一个字) ______

(4) “口”字右边一个“牙”。 (猜本课学过的一个字) ______

píng ping

7. 把课文读给爸爸妈妈听，让他们评评分：

píng 评　分	家长签名

1. 写一写：

朝 扔 哦 衔 渐 呀 池

2. 数笔画，填空（tián）：

(1) “池”一共有___画，左边是___，右边是___。

(2) “何”一共有___画，左边是___，右边是___。

(3) “抓”一共有___画，左边是___，右边是___。

(4) “备”一共有___画，上边是___，下边是___。

(5) “瓶”一共有___画，左边是___，右边是___。

3. 比一比，再组（zǔ cí）词语：

喝（　　）	早（　　）	投（　　）
渴（　　）	朝（　　）	设（　　）
朴（　　）	可（　　）	升（　　）
扑（　　）	何（　　）	开（　　）

4. 照例（lì）子连一连，组（zǔ cí）词语：

转　瓶　抓　渐　扑　终　痛

子　起　身　快　通　于　渐

____　____　____　痛快　____　____　____

5. 用句（jù）中加点的词（cí）语造句（jù）：

(1) 哈哈！我快喝到水了。

____

(2) 它喝得多痛快呀！

____

(3) 它准备痛痛快快地喝个饱。

____

(4) 瓶子里的水渐渐往上升。

____

(5) 它抓起一块小石子，朝瓶子扔过去。

____

6. 照例(lì)子用“……极了”改写句(jù)子：

例(lì)：妹妹很高兴。（……极了）

妹妹高兴极了。

(1) 中国菜很好吃。

____

(2) 他写的汉字很好看。

____

(3) 新年很热闹。

____

(4) 他很生气。

____

7. 阅(yuè)读短(duǎn)文，把故事讲给爸爸妈妈听，让他们评评(píngping)分：

有一个商人，他非常有钱，但是很小气。他又想喝酒又不想花钱。一天，他给他家的工人一个空瓶子，让他去买酒，却不给他买酒的钱。工人奇怪地问：“先生，没有钱怎么买酒呢?”商人说：“花钱买酒，谁都做得到。如果不花钱就能买到酒，那才了不起呢!”

工人听了商人的话，没说什么就去买酒了。一会儿，工人提着空瓶子回来了。商人生气地叫道：“你这个没用的东西！酒呢？你让我喝什么?”工人不慌不忙地说：“先生，您别生气。从有酒的瓶子里喝到酒，这太容易了。如果能从空瓶子里喝到酒，那才是真的了不起呢!”商人无可奈何地摇摇头，无话可说了。

píng 评 分	家长签名

1. 写一写:

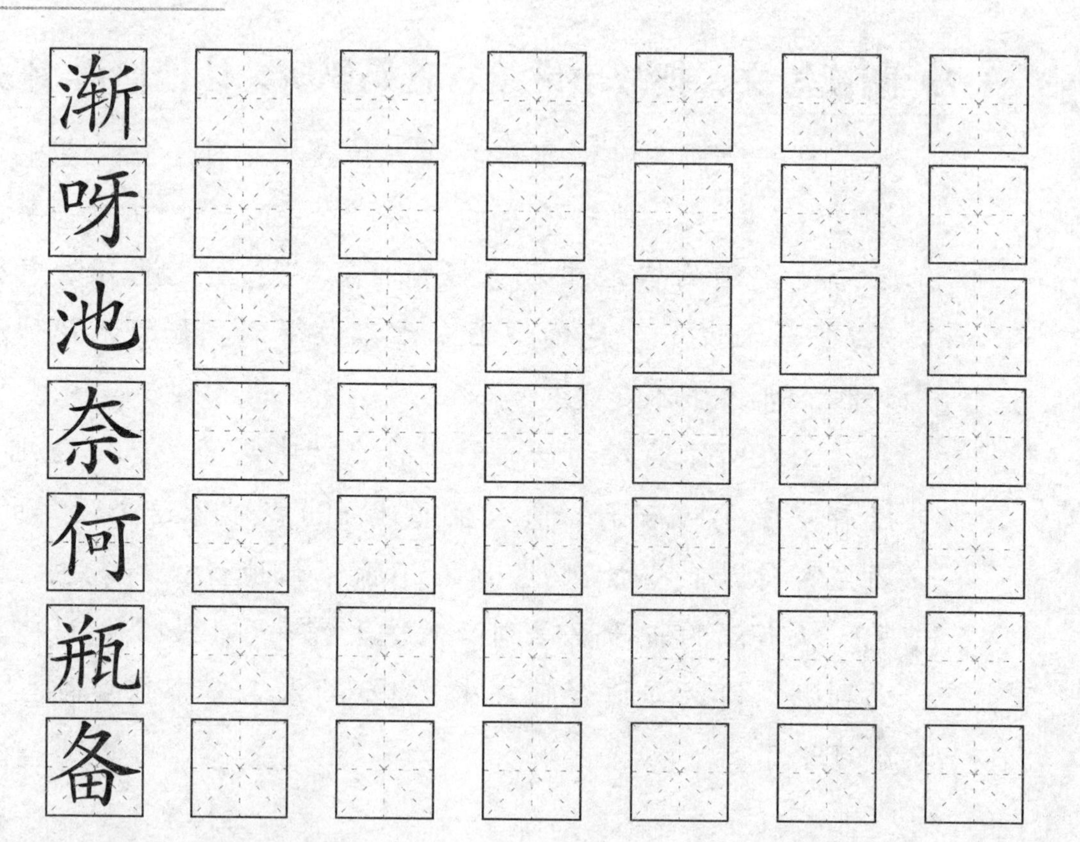

2. 在下列句中加点字的正确读音旁打“√”：

(1) 它往瓶子里投石子。

A. tōu　B. tóu　C. dòu　D. tǒu

(2) 瓶子里的水升高了。

A. shēn　B. shēng　C. shén　D. shéng

(3) 它喝得多痛快呀！

A. ya　B. yá　C. yǎ　D. yà

(4) 它抓起石子朝瓶子扔过去。

A. zhāo　B. zháo　C. chāo　D. cháo

(5) 水渐渐往上升。

A. juàn　B. jūn　C. jiàn　D. jiǎn

3. 比一比，再组词语：

升（　　）　投（　　）　折（　　）
什（　　）　没（　　）　渐（　　）

断（　　）　瓜（　　）
继（　　）　抓（　　）

4. 照例子把（　）里的词语放到正确的位置上：

例：A它B找水喝C。（到处）　B

(1) 它A找来B找去C找不到。（都）　____

(2) 它A发现B附近C有一个瓶子。（忽然）　____

(3) A我B喝到水C了。（快）　____

(4) A它B觉得这水C甜。（特别）　____

(5) A瓶口B太小，C它怎么也喝不到。（可是）　____

lì tián
5. 照例子填空：

当	石子装了大半瓶	的时候，	瓶子里的水已经升到了瓶口。

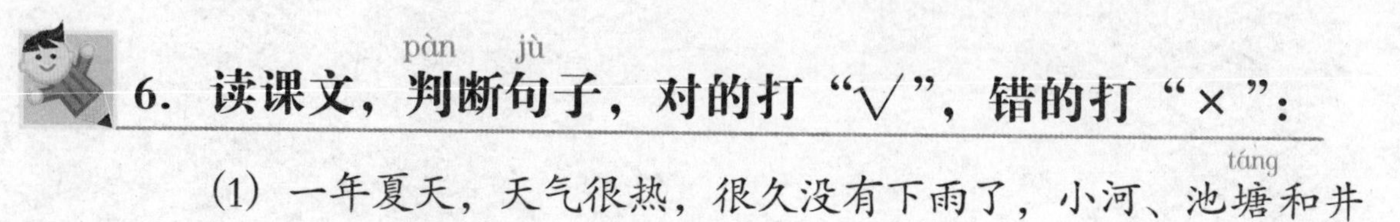

pàn jù
6. 读课文，判断句子，对的打“√”，错的打“×”：

táng
(1) 一年夏天，天气很热，很久没有下雨了，小河、池塘和井里都干了。（　）

yā
(2) 乌鸦一点儿也不想喝水。（　）

(3) 那个瓶子瓶口很大，水也很深。（　）

yā
(4) 乌鸦抓起一块大石头，朝瓶子扔过去。（　）

yā
(5) 当石子装了大半瓶的时候，乌鸦喝到了水。（　）

lì cí jù
7. 照例子连词成句：

lì
例：一块　抓起　它　石子

它抓起一块石子。

(1) 热　夏天的　特别　天气

____

(2) 里面　瓶子　半瓶水　还有

____

(3) 到处　水　它　找　喝

____

(4) 升　水　渐渐　瓶子里的　往上

____

(5) 它　找不到　水　找来找去　都

____

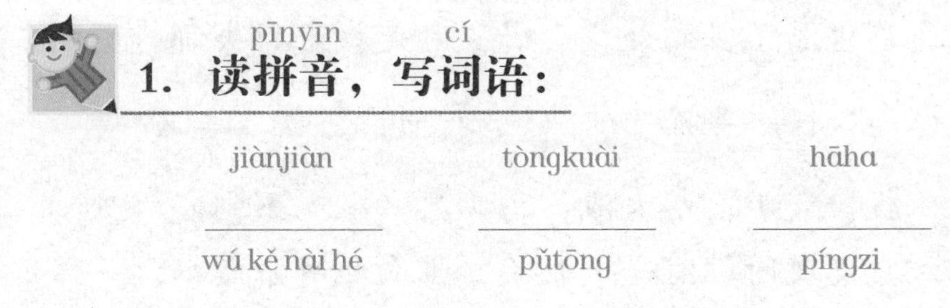

1. 读拼音（pīnyīn），写词语（cí）：

jiànjiàn ________　　tòngkuài ________　　hāha ________

wú kě nài hé ________　　pǔtōng ________　　píngzi ________

2. 写出带有下列偏旁（liè piān）部首的字：

氵：____ ____ ____

扌：____ ____ ____

亻：____ ____ ____

口：____ ____ ____

木：____ ____ ____

3. 改错别字：

(1) 乌鸦无可奈何地摇摇头。 (　　)

(2) 狼“朴通”一声掉进了河里。 (　　)

(3) 瓶子里的水慢慢开高了。 (　　)

(4) 它抓起一块小石子，扔进了瓶里。 (　　)

(5) 乌鸦准备痛痛快快地喝个饱。 (　　)

(6) 它用嘴 衔来了一块小石子。 (　　)

4. 标出下列句子的先后顺序：

(　) 瓶里的水慢慢地往上升，乌鸦终于喝到了水。

(　) 乌鸦用嘴衔来一块块小石子，投进了瓶里。

(　) 一只乌鸦口渴了，到处找水喝，可是找来找去都找不到。

(　) 乌鸦很高兴，准备痛痛快快地喝个饱。

(　) 可是，瓶口太小，水太浅，乌鸦怎么也喝不到。

(　) 忽然，它发现附近有一个瓶子，里面还有半瓶水。

5. 造句：

(1) 无可奈何 ____________________

(2) 特别 ____________________

(3) 终于 ____________________

(4) 怎么 ____________________

(5) 可是 ____________________

6. 改病句：

(1) 哪儿水还有呢？

(2) 它摇摇头无可奈何地。

(3) 已经瓶子里的水升到了瓶口。

(4) 它一块块用嘴衔来小石子。

(5) 可是太瓶口小，太水浅，它怎么也喝不着。

(6) 它这水觉得特别甜。

7. 阅读短文，把故事讲给爸爸妈妈听：

一年夏天，天气特别热。曹操带领十万大军向前方进发。火红的太阳照在大地上，战士们热得满头大汗，又累又渴，都走不动了。

曹操看到这种情景，心里十分着急。怎么办呢？突然，曹操想出了一个好办法，他用手向前方一指，大声喊道："你们看，前面有一大片果树，树上结满了酸甜的梅子。大家快点儿走，到前面吃梅子去呀！"

战士们听说前面有梅子，禁不住流出了口水，也不觉得口渴了，走起路来也有劲儿了。就这样，曹操带领十万大军很快赶到了前方，战胜了敌人。这就是"望梅止渴"的故事。

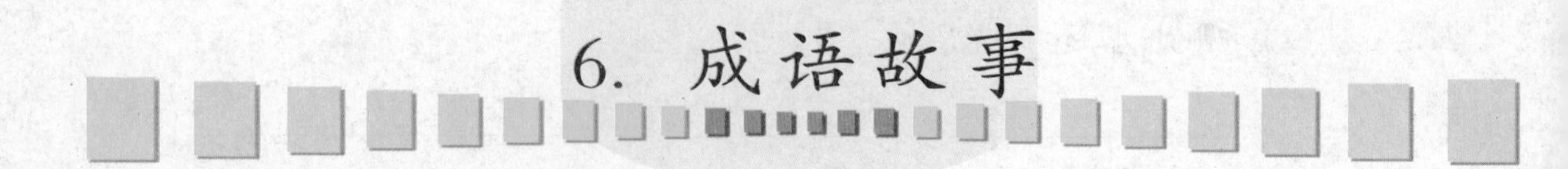

6. 成语故事

星期一

1. 写一写：

胸

况

仔

佩

并

句

形

2. 照例子写出下列字的部首：

例：晴→日

胸→___　盗→___　况→___　握→___

佩→___　偷→___　句→___　铃→___

3. 把下列成语写完整：

___有___竹　___苗___长　___株___兔

___舟___剑　亡______牢　掩耳___ ___

4. 照例子找出不同类的词语，写在（　）里：

例：飞机　汽车　军舰　电视塔　（电视塔）

(1) 早晨　中午　晚饭　晚上　（　　）

(2) 春天　季节　秋天　冬天　（　　）

(3) 小鸟　竹子　鲜花　果树　（　　）

(4) 文学家　科学家　画家　大家（　　）

(5) 头　电　手　胸　（　　）

5. 读课文，填空：

(1) ________春夏________秋冬，________早晨到晚上，不论晴天______________雨天，他总是仔细地观察那些竹子的生长______________。

(2) 在不同的______、不同的______、不同的______下，竹子是什么____________、有什么______，他都观察得很仔细。

(3) 有个文学家非常______文与可画竹子的才能。

(4) 人们把做一件事情心中早已有了______，______有了把______，比作“______”。

6. 照例(lì)子完成句子：

例(lì)：手一碰到铃，<u>它就会响</u>。

(1) 我一放假，__________________________。

(2) __________________________，我就去公园画画儿。

(3) 他一看见方方来了，__________________________。

(4) 我一听见电话铃响，__________________________。

(5) __________________________，大家就开心地笑了。

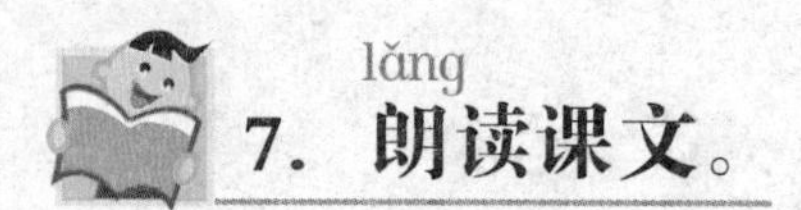

7. 朗(lǎng)读课文。

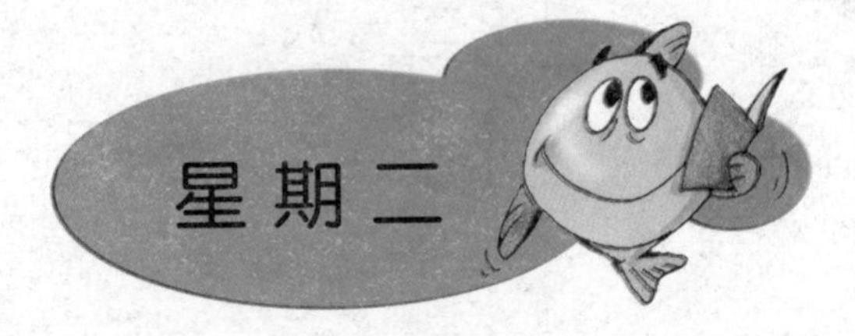

1. 写一写：

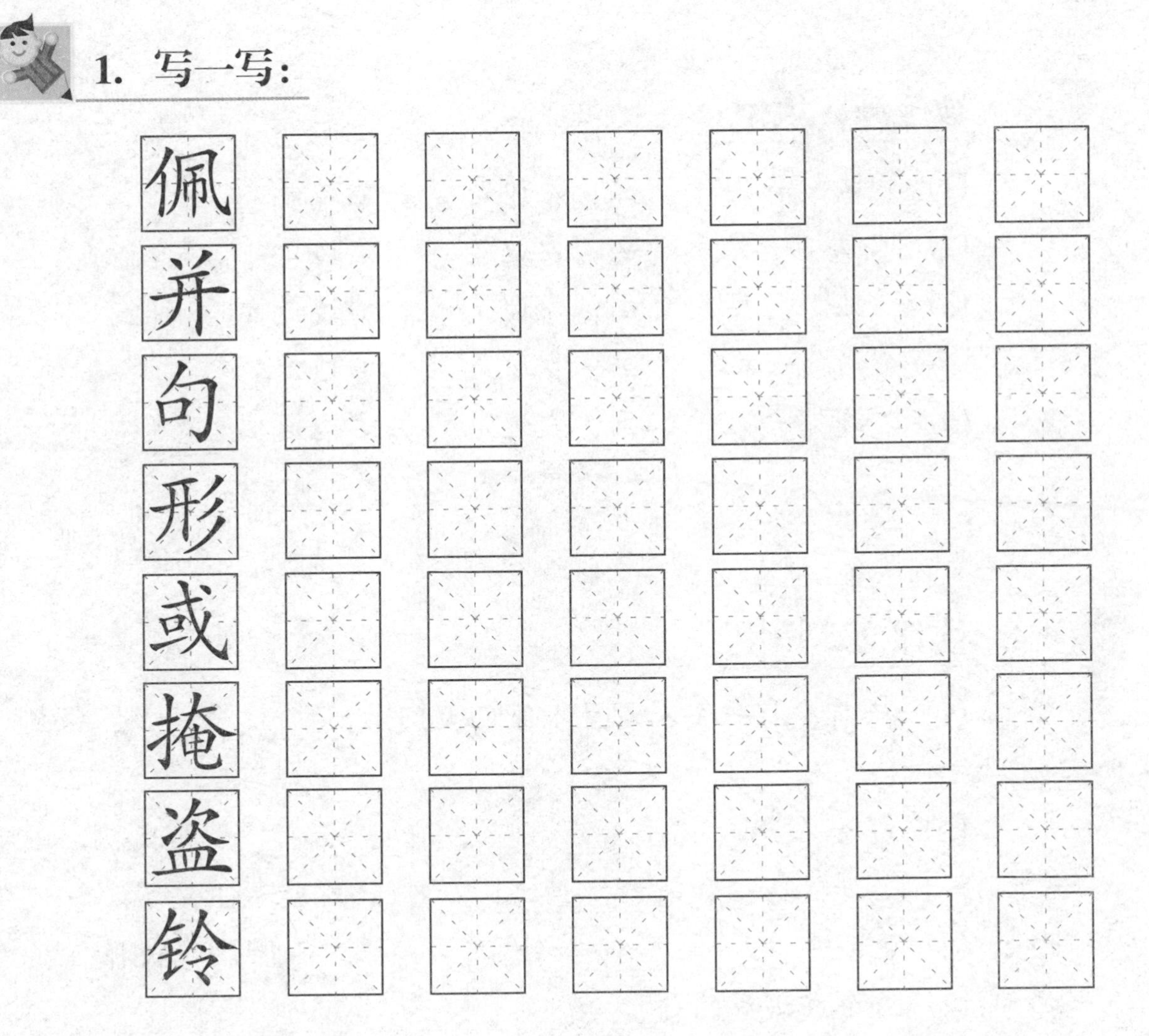

2. 读拼音，写汉字：(pīnyīn)

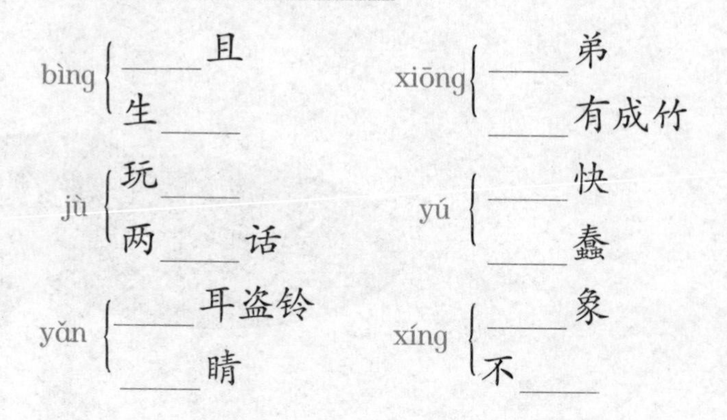

bìng：____且　生____

xiōng：____弟　____有成竹

jù：玩____　两____话

yú：____快　____蠢

yǎn：____耳盗铃　____睛

xíng：____象　不____

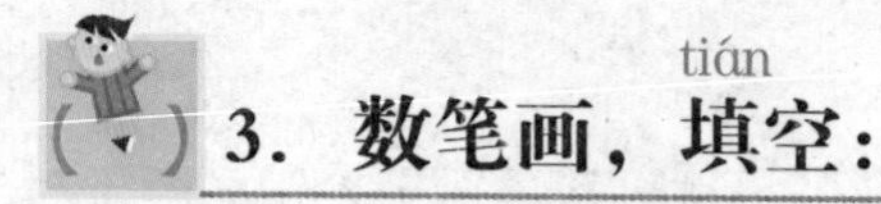

3. 数笔画，填空：(tián)

(1) “胸”一共有___画，左边是___，右边是___。

(2) “佩”一共有___画，左边是___，右边是___。

(3) “况”一共有___画，左边是___，右边是___。

(4) “形”一共有___画，左边是___，右边是___。

(5) “铃”一共有___画，左边是___，右边是___。

4. 读课文，填空：(tián)

(1) 从前，有一个人看见人家的大门上__________，很想__________。

(2) 那个人想：“手________，它________，那我就__________。如果______________，那就听不见了。”

(3) 他刚______________，铃__________，他很快就被抓住了。

(4) 这个成语说的是______________________________。

5. 造句：

(1) 意思 ______________________

(2) 或者 ______________________

(3) 其中 ______________________

(4) 欺骗 ______________________

(5) 一……就…… ______________________

6. 照例(lì)子填(tián)空：

他画的竹子	跟	真的	一样。
		他去的地方	
他家的汽车			

7. 阅(yuè)读短(duǎn)文，把故事讲给爸爸妈妈听：

从前，有一位老师在课堂上讲“我”字时，指着自己说：“我，就是我。”大卫很认真地记住了。放学回家后，爸爸打开课本指着“我”字问大卫：“这个字是什么意思？”大卫回答说：“这很容易，‘我’就是老师啊。”爸爸生气地说：“‘我’就是我，怎么是老师呢？”大卫听了连连点头说：“我明白了！我明白了！”

晚上，大卫进房去睡觉，妈妈又打开课本，指着“我”字问大卫：“这个字是什么意思？”大卫马上回答：“‘我’就是爸爸。”妈妈说：“‘我’就是我，怎么是爸爸呢？”大卫想了想说：“我明白了，‘我’不是老师，也不是爸爸，原来是妈妈呀！”

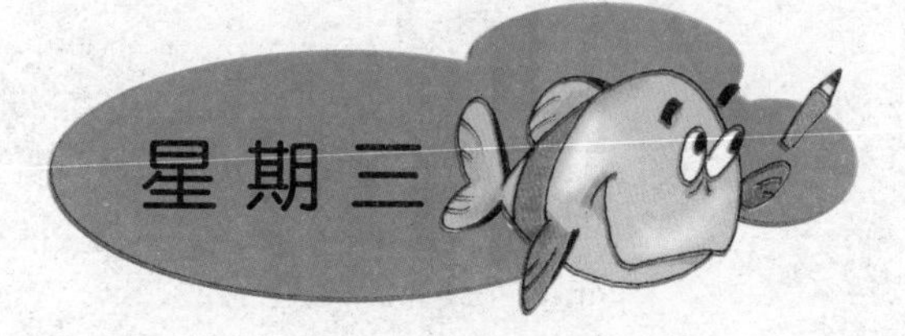

1. 写一写:

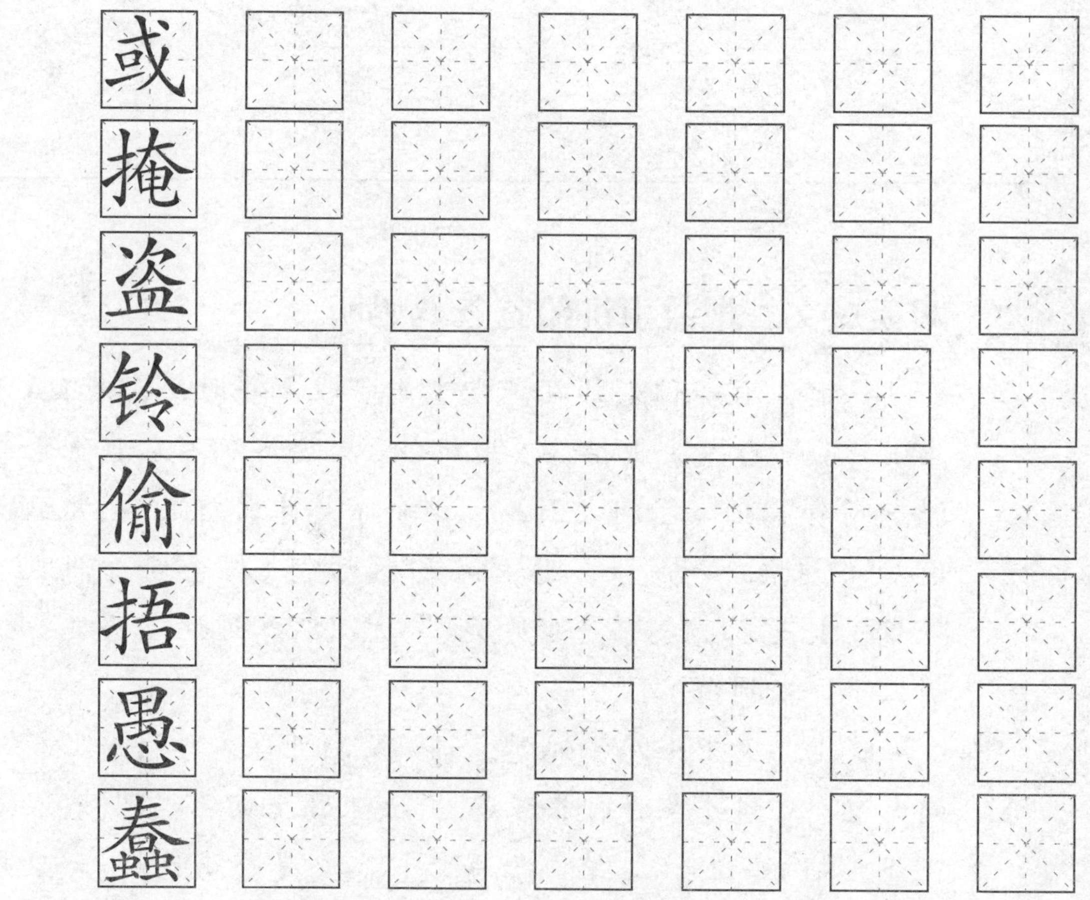

2. 比一比，再组词语：

（zǔ cí）

屋（　　　）	愉（　　　）	怜（　　　）
握（　　　）	偷（　　　）	铃（　　　）
者（　　　）	并（　　　）	向（　　　）
着（　　　）	井（　　　）	包（　　　）

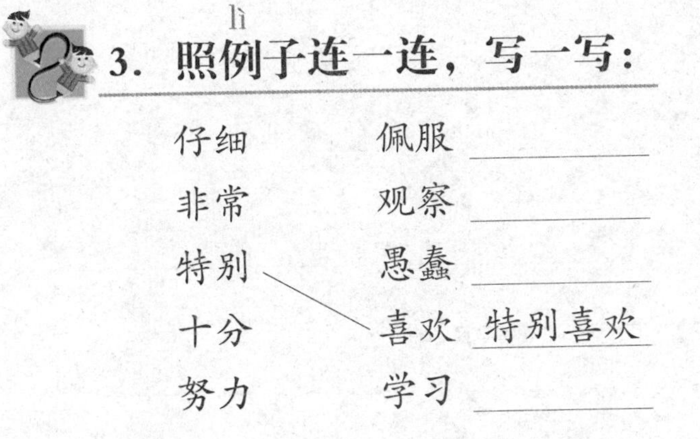

3. 照例子连一连，写一写：

（lì）

仔细	佩服	______
非常	观察	______
特别	愚蠢	______
十分	喜欢	特别喜欢
努力	学习	______

4. 照例子完成句子：

（lì）

例（lì）：如果把耳朵捂起来，别人就听不见了。

（1）如果下雨，______________________。

（2）如果______________________，我就去锻炼身体。

（3）如果他是你的朋友，______________________。

（4）如果你喜欢，______________________。

（5）如果______________________，我们就可以学好汉语。

5. 照例子把（ ）里的词语放到正确的位置上：

例：狼A从那条路B逃走了C。（也许） ____A____

(1) 他A喜欢B画竹子C。（特别） ________

(2) A他画的竹子B真的一样C。（跟） ________

(3) A他B心中C有了主意。（早已） ________

(4) A怎样B把铃偷到手C呢？（才能） ________

(5) A有个文学家写了B一首诗C他。（称赞） ________

6. 造句：

(1) 从……到…… ________________

(2) 不同 ________________

(3) 并且 ________________

(4) 情况 ________________

(5) 或者 ________________

7. 标出下列句子的先后顺序：

（ ）于是，画家就在虎头的后面画上了马的身子。

（ ）一天，他正在画虎，刚画完虎头，就有客人来了。

（ ）从前有一位画家。

（ ）客人看了以后，吃惊地问道："先生，你画的是马还是虎？"

（ ）画家笑着说："既是马，又是虎，马马虎虎。"

1. 写一写：

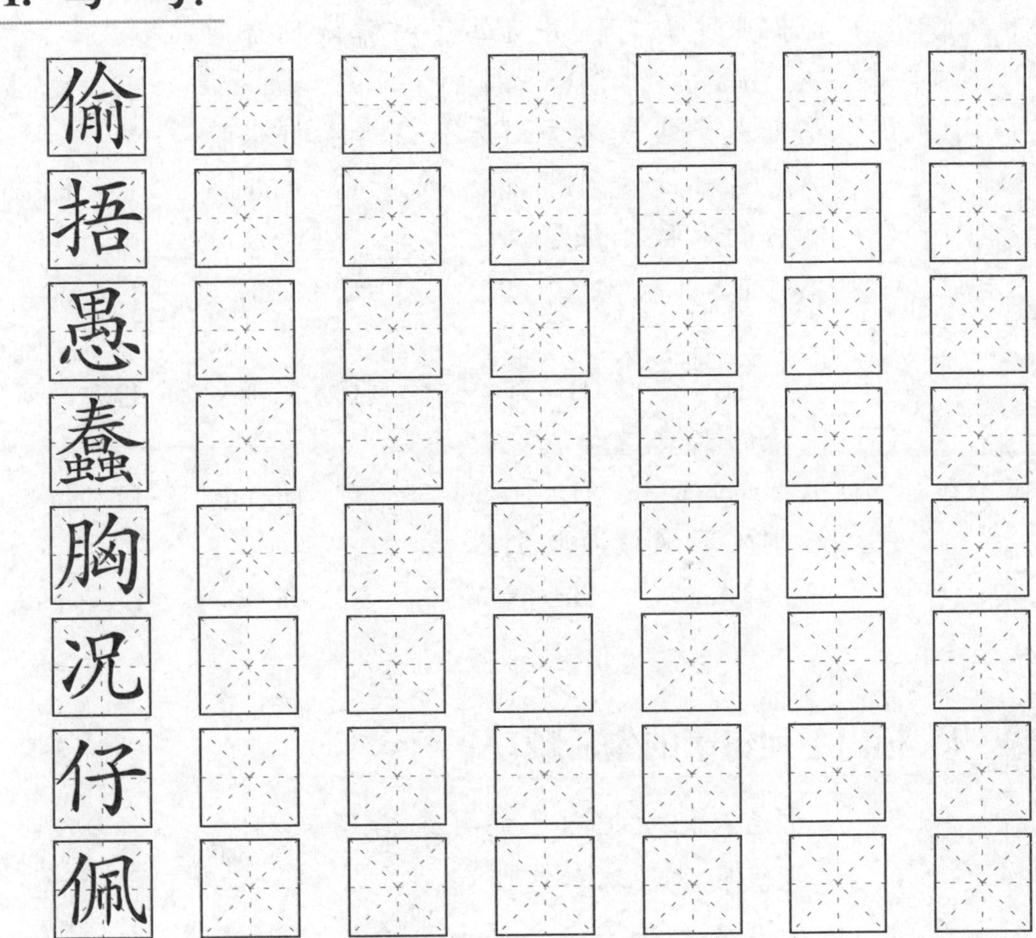

liè piān

2. 写出带有下列偏旁部首的字：

亻：____ ____ ____

心：____ ____ ____

刂：____ ____ ____

宀：____ ____ ____

月：____ ____ ____

liè cí què yīn

3. 在下列句中加点词语的正确读音旁打"√"：

(1) 他佩服文与可，并且写了一首诗称赞他。

A. bīngqiě　B. bìngqiě　C. bìnqié　D. bìnqiě

(2) 星期天，我或者去游泳，或者去打球。

A. huōzhe　B. huōzhě　C. huòzhe　D. huòzhě

(3) 偷铃的人被抓住了。

A. tōu　B. tóu　C. dōu　D. dóu

(4) 上课铃响了。

A. líng　B. lǐng　C. lín　D. lǐn

(5) 偷铃的人真愚蠢。

A. yúchún　B. yúchǔn　C. yǔchún　D. yǔchǔn

(6) 好学生不应该欺骗别人。

A. qìpiàn　B. qīpiàn　C. jīpiàn　D. jìpiàn

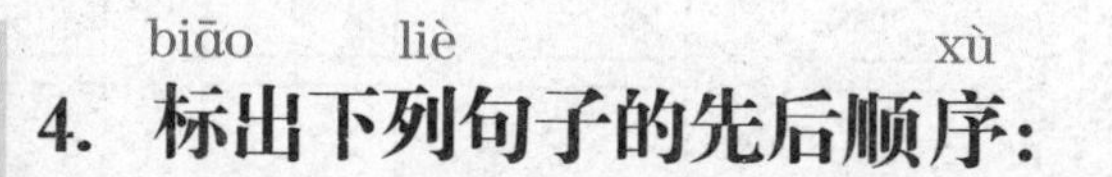

biāo liè xù

4. 标出下列句子的先后顺序：

(　) 于是，他就把自己的耳朵捂起来。

(　) 他很快就被抓住了。

(　) 但是他又担心铃响被人发现。

(　) 结果，他刚伸手碰到那个铃，铃就响了起来。

(　) 从前，有个人很想偷别人大门上的铃。

xuǎn zé　　què　　àn tián
5. 读课文，选择正确答案填空：

(1) 那个偷铃的人__________。

A. 就很快被抓住了

B. 很快就被抓住了

C. 很快被就抓住了

D. 被很快就抓住了

(2) 文与可画竹子时，胸中__________。

A. 有了已经完整的竹子形象

B. 已经有了竹子形象完整的

C. 有了已经竹子的完整形象

D. 已经有了完整的竹子形象

(3) 手______碰到铃，它______会响，那我就被别人发现了。

A. 既然……就……

B. 或者……或者……

C. 一……就……

D. 不但……而且……

(4) ______晴天______雨天，他总是仔细地观察竹子的生长情况。

A. 一……就……

B. 或者……或者……

C. 不但……而且……

D. 无论……还是……

(5) __________，去偷那个铃。

A. 他把自己的耳朵就捂起来

B. 他就把自己的耳朵捂起来

C. 自己的耳朵他就捂起来

D. 捂起来就他自己的耳朵

6. 猜一猜：

(1) “心”上有“禺”。（　　）

(2) 两条“虫”上有“春”天。（　　）

(3) “月”字右边站个“匈”。（　　）

(4) “次”字站在“皿”上头。（　　）

(5) “开”字上面多两点儿。（　　）

7. 把课文读给爸爸妈妈听，让他们评评分：

评 分	家长签名

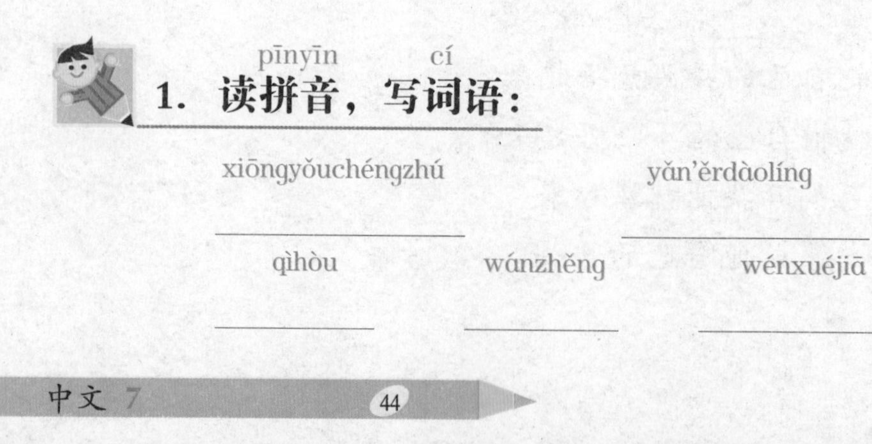

1. 读拼音（pīnyīn），写词（cí）语：

xiōngyǒuchéngzhú ________　　yǎn'ěrdàolíng ________

qìhòu ________　　wánzhěng ________　　wénxuéjiā ________

zǔ cí

2. 比一比，再组词语：

盗（　　　）　欺（　　　）　像（　　　）
盘（　　　）　期（　　　）　象（　　　）

愚（　　　）　仔（　　　）　盗（　　　）
遇（　　　）　字（　　　）　次（　　　）

lì　zǔ cí

3. 照例子连一连，组词语：

情　佩　或　句　把　愚　欺

者　握　骗　况　服　子　蠢

或者　______　______　______　______　______　______

xuǎn cí　tián

4. 选词语填空：

从……到……　季节　情况　不同　并且　其中　意思　除……之外

(1) 他______会说英语______，还会说汉语。

(2) 一年有春、夏、秋、冬四个______。

(3) 这句话的______我还不太明白。

(4) ______的画家画的竹子是不一样的。

(5) 李白写了很多诗，______有一首是《静夜思》。

(6) 长江______西流______东。

(7) 文与可每天都仔细地观察竹子的生长______。

(8) 有个文学家非常佩服文与可画竹子的才能，______写了一首诗称赞他。

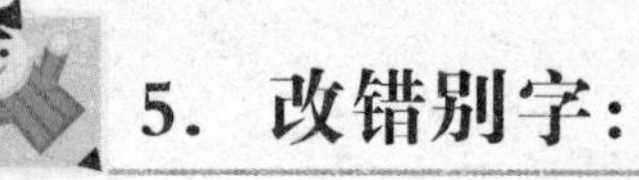

5. 改错别字：

(1) 在不同的气侯下，竹子的生长情况也不一样。

( ) ( )

(2) 他很想去揄那个铃。 ( ) ( )

(3) 禺蠢的人自己期骗自己。 ( ) ( )

(4) 从春夏到秋冬，从早晨到晚上，不论晴天还是雨天，他总是仔细的观察竹子的生长清况。 ( ) ( ) ( )

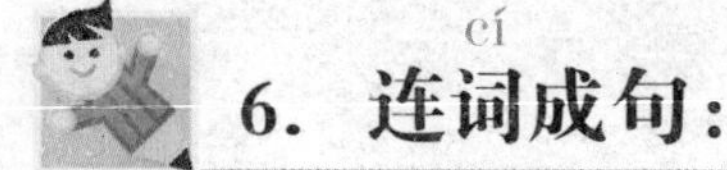

cí

6. 连词成句：

(1) 特别　画竹子　文与可　喜欢

____

(2) 房前屋后　很多　种了　他　竹子　在

____

(3) 他　仔细　地　很　观察

____

(4) 很快　抓住　他　了　被

____

(5) 自己　愚蠢的人　自己　欺骗

____

yuè duǎn pàn

7. 阅读短文，判断句子，对的打“√”，错的打“×”：

hóu

一只猴子死了，他来到天上，见到了天帝，请求天帝让他变成人。天帝说：“既然你想做人，就要把你身上的毛全拔光。”于是天帝就叫人来给猴(hóu)子拔毛。刚拔下一根毛，猴(hóu)子就禁不住大叫起来：“疼死我了，不拔了！不拔了！”天帝笑着说：“看你，连一根毛也不肯拔，怎么去做人呢？”这就是成语“一毛不拔”的故事。

(1) 猴(hóu)子死了，他很想变成人。 (　)

(2) 天帝说，只要拔下一根毛，猴(hóu)子就能变成人。 (　)

(3) 天帝亲自动手给猴(hóu)子拔毛。 (　)

(4) 猴(hóu)子怕疼，所以一根毛也不让拔。 (　)

(5) 猴(hóu)子最后没有变成人。 (　)

lú fú

8. 卢浮宫

1. 写一写:

库 藏 雕 塑 绘 计 杰 折 置

2. 在下列(liè)句中加点字的正确读音(yīn)旁打“√”：

(1) 卢(lú)浮(fú)宫被称作“世界艺术宝库”。

A. pǎokū　B. pǎokú　C. bǎokǔ　D. bǎokù

(2) 卢(lú)浮(fú)宫收藏了很多历史文物。

A. sōucāng　B. shōucáng　C. shōucháng　D. sōuchǎng

(3) 公园里有很多雕塑。

A. diāosù　B. diāo suò　C. diàosù　D. diāosū

(4) 她那微笑的神情，始终那么迷人。

A. wéixiáo　B. hēixiào　C. wēijiào　D. wēixiào

(5) 那座雕像庄严而美丽，的确是古典艺术中的杰作。

A. dīquē　B. díquè　C. dǐquè　D. dìqué

(6) 走进展览馆，一眼就看到楼梯的顶端有一座胜利女神像。

A. zhānlǎn　B. zhánlán　C. zhǎnlǎn　D. zhànlán

3. 写出下列(liè)字的偏(piān)旁部首：

绘→____　库→____　置→____　藏→____

筑→____　雕→____　杰→____　塑→____

4. 比一比，再组(zǔ)词(cí)语：

{床（　　）　库（　　）}　{藏（　　）　喊（　　）}　{会（　　）　绘（　　）}　{依（　　）　衣（　　）}

{塑（　　）　望（　　）}　{雕（　　）　难（　　）　雄（　　）}　{须（　　）　顶（　　）　领（　　）}　{折（　　）　拆（　　）　近（　　）}

5. 读课文，填(tián)空：

(1) 法国巴黎的卢浮(lú fú)宫被称作“__________”，它________了四十多万件________、绘画等__________。

(2) __________是卢浮(lú fú)宫的一大________。来到卢浮(lú fú)宫，就好像__________。

(3) 这座________的玻璃“________”，本身是________艺术品，________还可以让人们________玻璃的自然折光，看卢浮(lú fú)宫的________。

(4) 美丽的卢浮(lú fú)宫真是一座__________，无论是________，还是________，都让人依依________，__________。

6. 连词(cí)成句：

(1) 被　“世界艺术宝库”　称作　它

____

(2) 整个　建筑群　在　是　大广场　之间　一个

____

(3) 楼梯　胜利女神　顶端　一座　雕像　的　有

____

(4) 这座　的确　古典艺术　的　是　雕像　中　杰作

____

(5) 它　艺术品　收藏了　四十　件　万　多

____

7. 造句：

(1) 伟大 ______________________

(2) 不但……而且……

____

(3) 奇妙 ______________________

(4) 丰富 ______________________

(5) 设计 ______________________

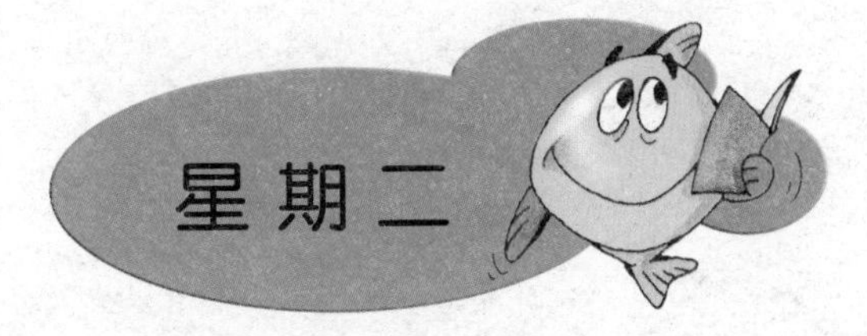

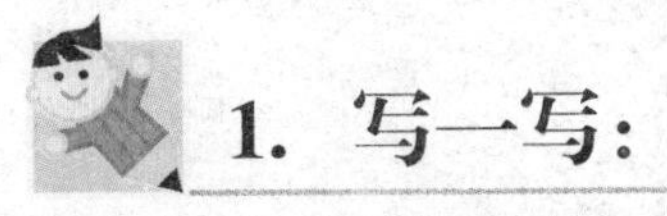

1. 写一写：

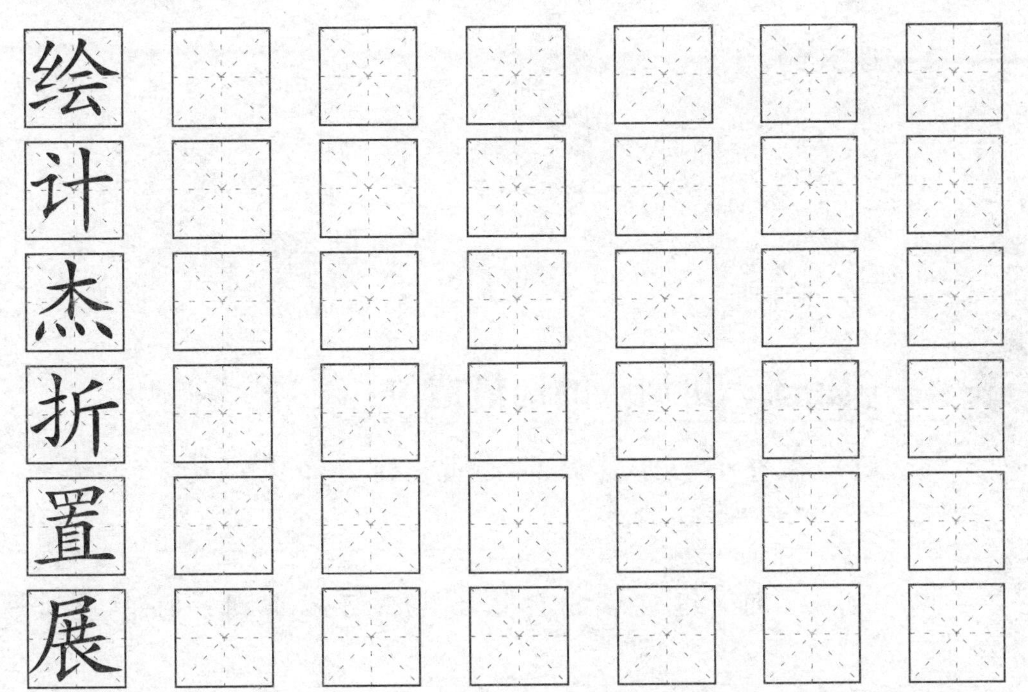

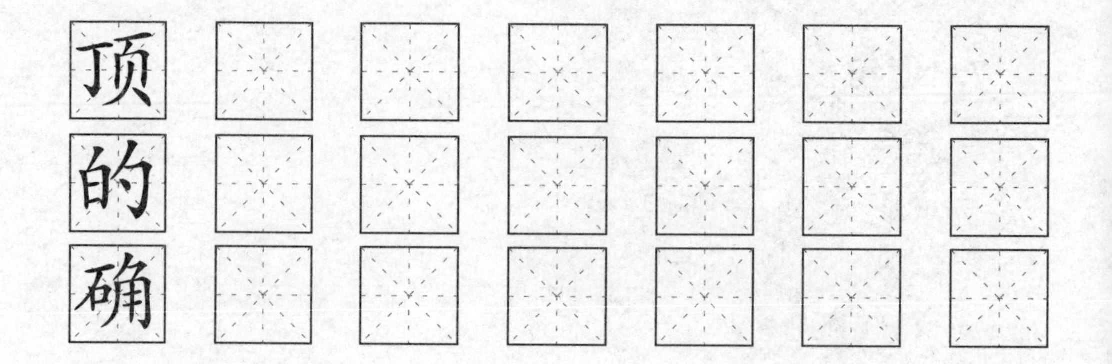

2. 照例(lì)子写汉字，再组(zǔ)词(cí)语：

例(lì)：木+弟→ 梯 → 楼梯

广+车→ ____ → ______　　周+隹→ ____ → ______

纟+会→ ____ → ______　　木+灬→ ____ → ______

丁+页→ ____ → ______　　石+角→ ____ → ______

3. 照例(lì)子连一连，写一写：

古老的	雕像	______
雄伟的	跑道	______
迷人的	微笑	______
精美的	建筑	______
长长的	五星红旗	______
飘扬的	王宫	古老的王宫

4. 读句子，用加点的词(cí)语造句：

(1) 在整个U形建筑群之间，是一个大广场。

____

(2) 人们通过玻璃的自然折光，可以看到卢(lú)浮(fú)宫的外景。

____

(3) 这座建筑是一个华人设计的。

____

(4) 楼梯的顶端有一座胜利女神的雕像。

____

(5) 她那微笑的神情，始终那么迷人。

____

5. 读课文，判（pàn）断句子，对的打“√”，错的打“×”：

(1) 卢浮（lú fú）宫被称作“世界艺术宝库”。 (　　)

(2) 卢浮（lú fú）宫收藏了四十万件雕塑。 (　　)

(3) 藏品丰富精美是卢浮（lú fú）宫的一大特点。 (　　)

(4) 金字塔式建筑是由法国人设计的。 (　　)

(5) 《蒙（méng）娜（nà）丽莎（shā）》是达·芬（fēn）奇画的。 (　　)

(6) 卢浮（lú fú）宫是美国华人设计的。 (　　)

6. 照例（lì）子用“无论是……还是……，都……”改写句子：

例：建筑和收藏品都让人赞叹不已。

无论是建筑，还是收藏品，都让人赞叹不已。

(1) 晴天和下雨天，亮亮都去跑步。

____

(2) 冬冬和云云都可以去旅行。

____

(3) 海洋公园和长城，我都想去看看。

____

(4) 明明在家和在学校都是好孩子。

____

7. 把（ ）里的词放到正确的位置上：

cí

(1) 它收藏了四十A多万件B雕像、绘画C艺术精品D。

（等）____

(2) 这座奇妙A的"金字塔"B就是C一件杰出的D艺术品。

（本身）____

(3) 胜利女神像A是B古典艺术中C的D杰作。（的确）____

(4) A美丽的卢浮宫B是C一座D伟大的世界艺术宝库。

lú fú

（真）____

星期三

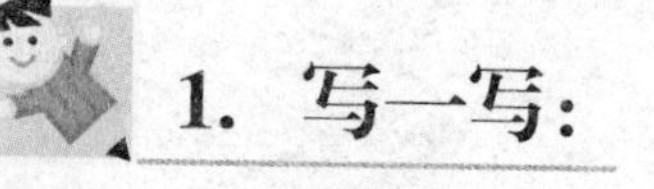

1. 写一写：

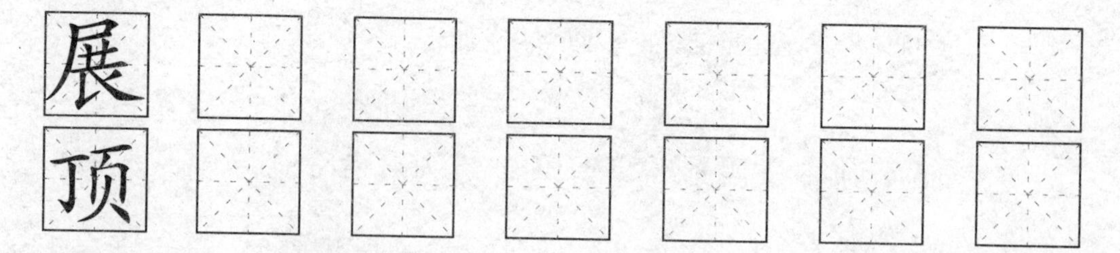

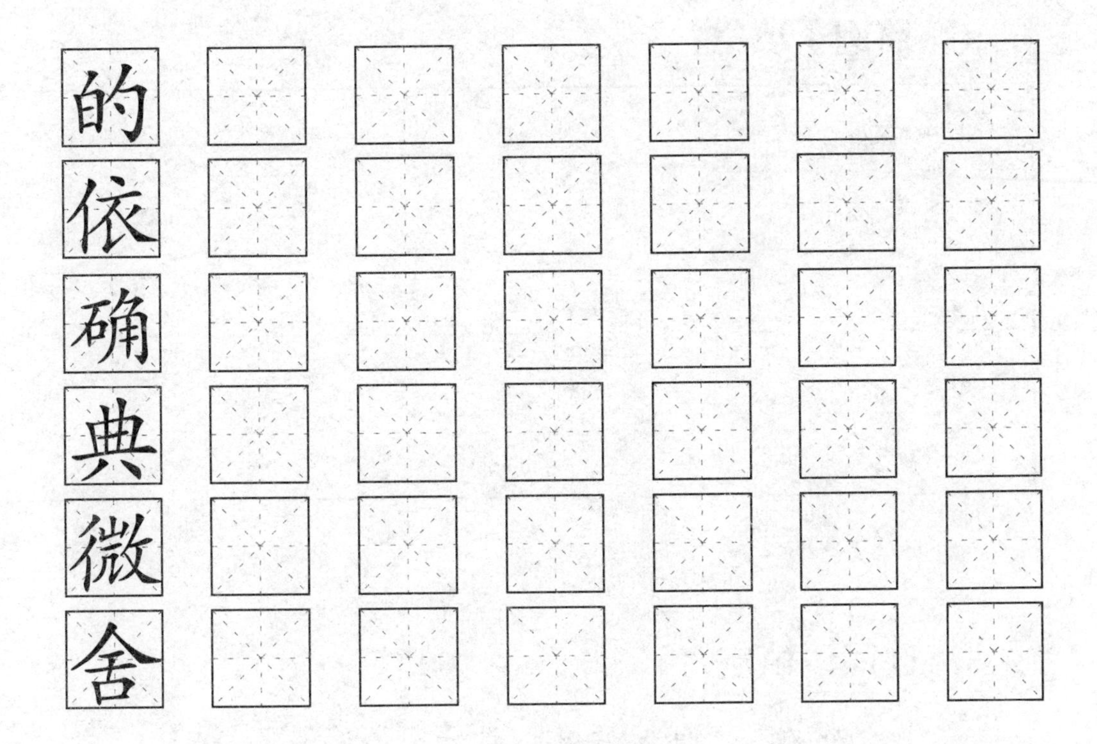

2. 照(lì)例子连一连，组词语(zǔ cí)：

的　展　宝　绘　微　雕　广　收

览　确　画　塑　库　笑　藏　场

宝库

3. 比一比，再组词语(zǔ cí)：

直（　　）　衣（　　）　杰（　　）
置（　　）　依（　　）　节（　　）

展（　　）　却（　　）　危（　　）
赞（　　）　确（　　）　微（　　）

lì tián

4. 照例子填空：

		lú fú	
藏品丰富精美	是	卢浮宫	的一大特点。
喜欢看报			
		妈妈	
		我	

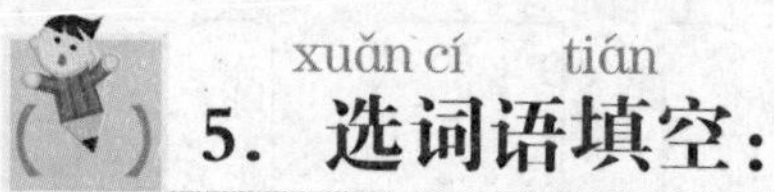

xuǎn cí tián

5. 选词语填空：

的确　之间　展览　设计　通过

(1) 这座金字塔式建筑是由美国华人＿＿＿的。

(2) 人们可以＿＿＿玻璃的自然折光，看到卢浮宫（lú fú）的全景。

(3) 在整个U形建筑群＿＿＿，是一个大广场。

(4) 维纳斯（wéi nà sī）雕像＿＿＿是古典艺术中的杰作。

(5) ＿＿＿馆里收藏了许多艺术精品。

6. 就画线部分提问：

(1) 它收藏了四十多万件艺术精品。

＿＿＿＿＿＿＿＿＿＿＿＿＿＿＿＿＿＿＿＿

(2) 楼梯的顶端有一座胜利女神像。

＿＿＿＿＿＿＿＿＿＿＿＿＿＿＿＿＿＿＿＿

(3) 这座金字塔式的建筑是一名美国华人设计的。

＿＿＿＿＿＿＿＿＿＿＿＿＿＿＿＿＿＿＿＿

(4) 绘画馆里收藏了意大利、法国、英国等国家的名作。

____

7. 阅(yuè)读短(duǎn)文，判(pàn)断句子，对的打"√"，错的打"×"：

爱因斯坦(sī tǎn)一向不注意自己的穿戴。一天，一位老朋友在街上碰到他，吃惊地问："你怎么穿得这么破旧？"爱因斯坦(sī tǎn)笑笑说："没关系，反正街上没有人认识我。"

后来，爱因斯坦(sī tǎn)成了世界著名的大科学家。一天，那位老朋友又在街上碰到他，又问："你怎么还是穿得那么破旧？"爱因斯坦(sī tǎn)笑着说："没关系，反正大家都已经认识我了。"

(1) 爱因斯坦(sī tǎn)对穿戴不注意。 (　　)

(2) 爱因斯坦(sī tǎn)出名之前，因为人们不认识他，所以上街时他就穿得很破旧。 (　　)

(3) 爱因斯坦(sī tǎn)成名以后，因为人人都认识他了，所以上街时他就穿上漂亮的衣服。 (　　)

1. 写一写：

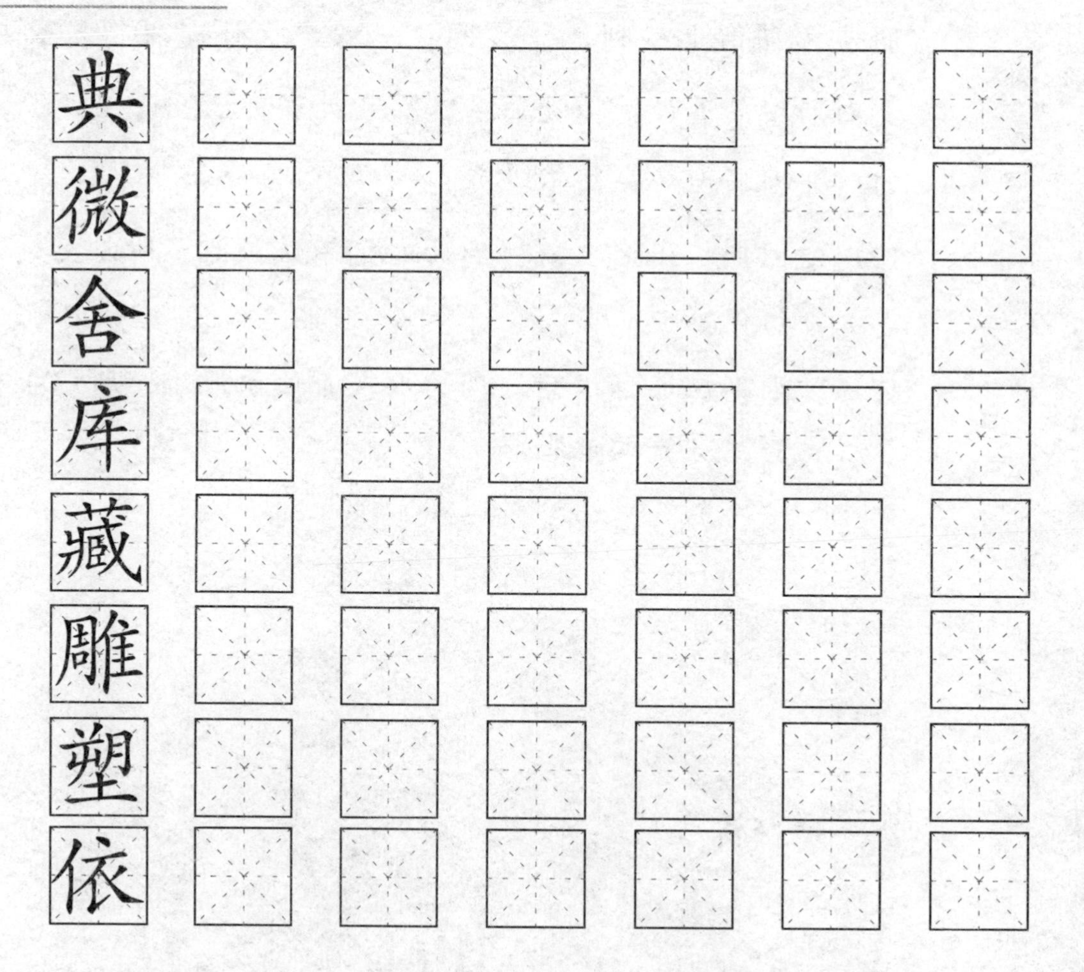

2. 在下列句中加点字的正确读音旁打"√"：

(lìe: 列; yīn: 音)

(1) 楼梯的顶端有一座雕像。

A. dīng　B. dǐng　C. díng　D. dìng

(2) 蒙(méng)娜(nà)丽莎(shā)的微笑很迷人。

A. wēi　B. wéi　C. wěi　D. wèi

(3) 张老师要回国了，同学们依依不舍地为他送行。

A. shē　B. shé　C. shě　D. shè

(4) 这座建筑是由美国的华人设计的。

A. jī　B. jí　C. jǐ　D. jì

3. 写出带有下列偏旁部首的字：

(liè piān: 列 偏)

纟：____ ____ ____　王：____ ____ ____

彳：____ ____ ____　木：____ ____ ____

灬：____ ____ ____　冫：____ ____ ____

4. 造句：

(1) 无论……都……________________

(2) 依依不舍________________

(3) 始终________________

(4) 微笑________________

(5) 好像________________

5. 改错别字：

(1) 它收藏了四十多万件雕塑、会画等历史文物。(　　)(　　)

lú fú

(2) 来到卢浮宫，就好象直身于艺术的海洋。 (　)(　)

(3) 她那微笑的表情，始终那么迷人。 (　)(　)

(4) 我衣衣不舍地离开了家乡。 (　)(　)(　)

(5) 无论是健筑，还是叫藏品，都让人赞叹不已。

(　)(　)(　)

6. 用（　）里的词语完成句子：

(1) 云云不但会说汉语，__________ (而且)

(2) A：你真的不认识他吗？

B：__________ (的确)

(3) A：你明白老师讲的吗？

B：不明白。老师讲了半天，但__________

(始终)

(4) A：你的座位在哪儿？

B：__________ (之间)

7. 把课文读给爸爸妈妈听，让他们评评分：

评　分	家长签名

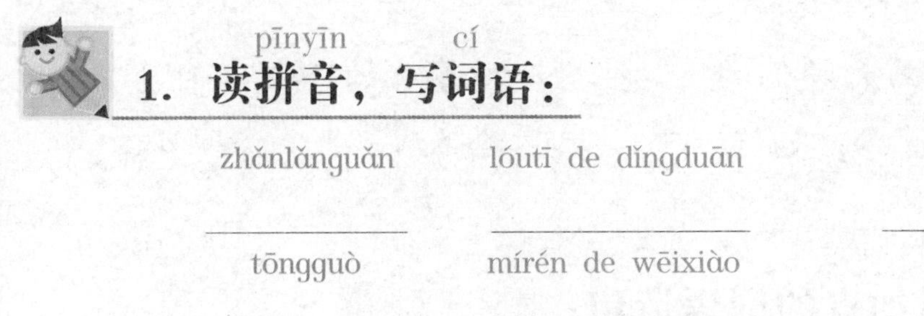

1. 读拼音（pīnyīn），写词语（cí）：

zhǎnlǎnguǎn ________ lóutī de dǐngduān ________ shèjì ________

tōngguò ________ mírén de wēixiào ________

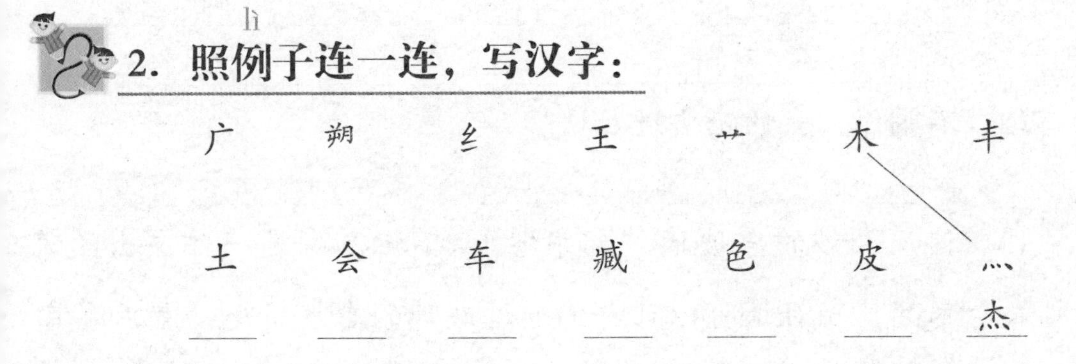

2. 照例（lì）子连一连，写汉字：

广 朔 纟 王 艹 木 丰

土 会 车 臧 色 皮 灬

____ ____ ____ ____ ____ ____ 杰

3. 比一比，再组词语（zǔ cí）：

顶（　　）	会（　　）	答（　　）
领（　　）	舍（　　）	塔（　　）
设（　　）	第（　　）	拆（　　）
没（　　）	梯（　　）	抓（　　）

4. 读课文，填(tián)空：

(1) 走进________，一眼就看到________有一座胜利女神的________。她手握号角，好像________。

(2) ________一件________的雕像是断臂维纳斯(wéi nà sī)，她________，的确是古典艺术中的________。

(3) 二楼的绘画馆________了意大利、法国、英国____国家____绘画大师们的____，如达·芬(fēn)奇的《蒙娜(méng nà)丽莎(shā)》，她那________，始终________，令人________。

5. 读句子，用加点的词(cí)语造句：

(1) 无论是建筑，还是收藏品，都让人依依不舍，赞叹不已。

____

____

(2) 不骗你，我的确去过长城。

____

(3) 这座奇妙的全玻璃“金字塔”，不但本身是一件杰出的艺术品，而且还可以让人们通过玻璃的自然折光，看卢浮(lú fú)宫的外景。

____

____

(4) 她手握号角，好像要飞向天空。

____

6. 改病句：

(1) 它收藏了四十万多件艺术精品。

____

(2) 在之间整个U形建筑，是一个大广场。

____

(3) 人们可以看美丽的园林通过镜子。

____

(4) 无论是建筑，还是收藏品，就让人依依不舍，赞叹不已。

____

7. 阅读短文，判断句子，对的打“√”，错的打“×”：

《蒙娜丽莎》是意大利著名画家达·芬奇的作品。据说，蒙娜丽莎原是一位商人的妻子，达·芬奇为她画像的时候，她才24岁。那时，她刚失去了自己心爱的女儿，心里十分痛苦。为了让她忘记痛苦，面带微笑，达·芬奇想了很多办法。从1503年到1507年，达·芬奇整整用了四年时间，才画成了《蒙娜丽莎》。

画面上，蒙娜丽莎的背后是山水风景。她的胸前是一双丰满的手，她的微笑意味深长，令人捉摸不透。

《蒙娜丽莎》现在被收藏在法国的卢浮宫。

(1) 《蒙娜丽莎》是意大利的画家画的。 (　　)

(2) 《蒙娜丽莎》现在收藏在意大利。 (　　)

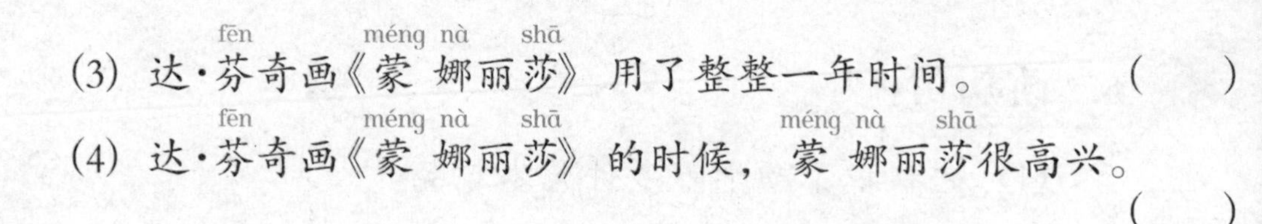

fēn méng nà shā
(3) 达·芬奇画《蒙娜丽莎》用了整整一年时间。（　　）

fēn méng nà shā méng nà shā
(4) 达·芬奇画《蒙娜丽莎》的时候，蒙娜丽莎很高兴。（　　）

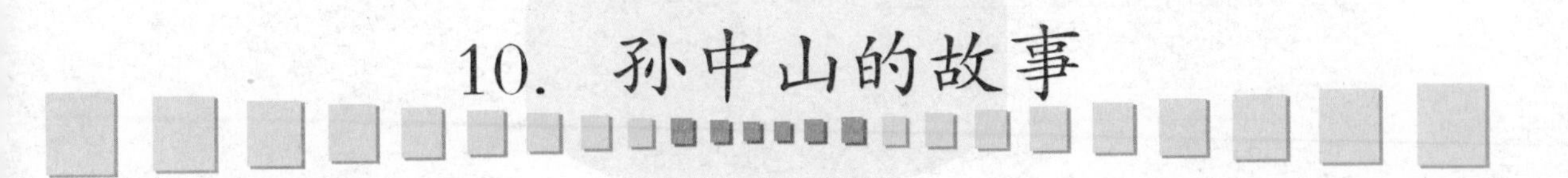

10. 孙中山的故事

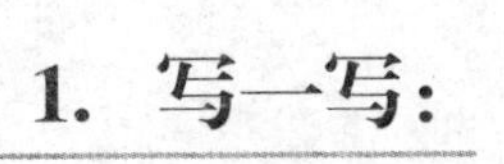

1. 写一写:

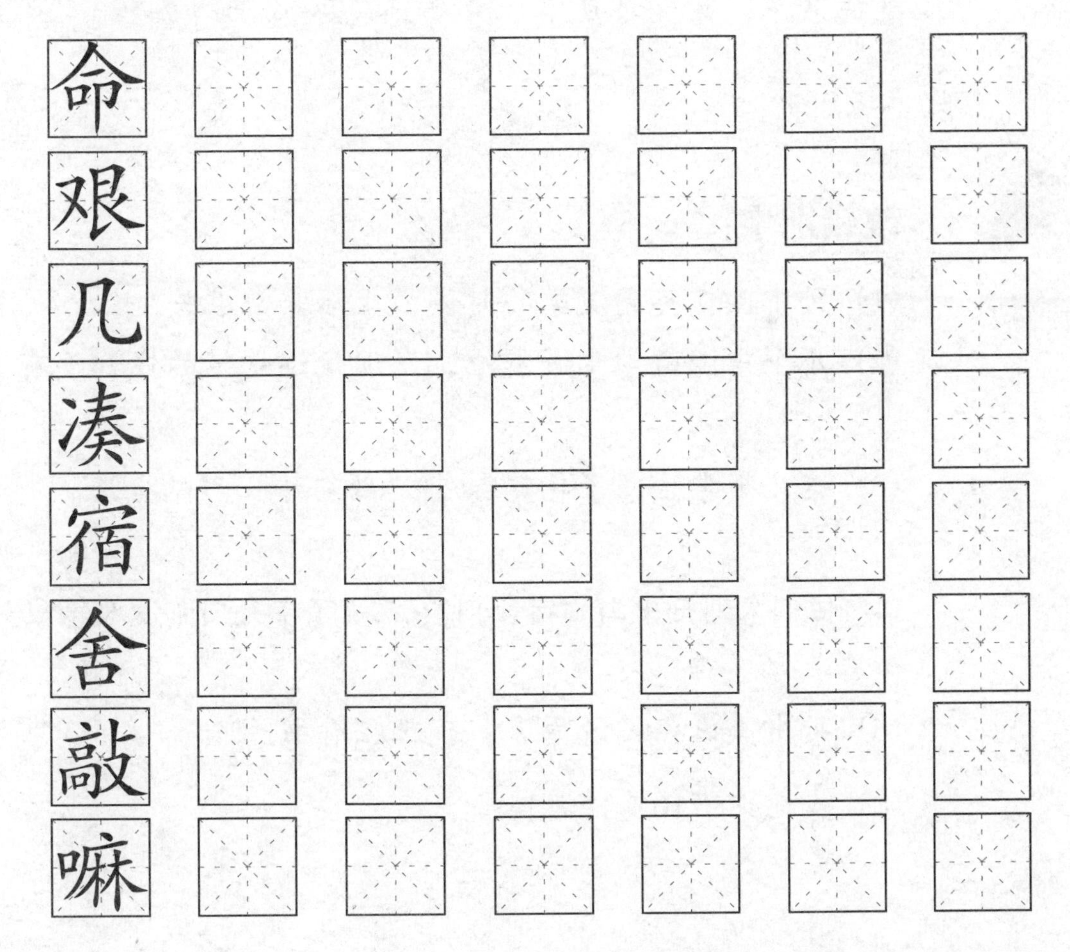

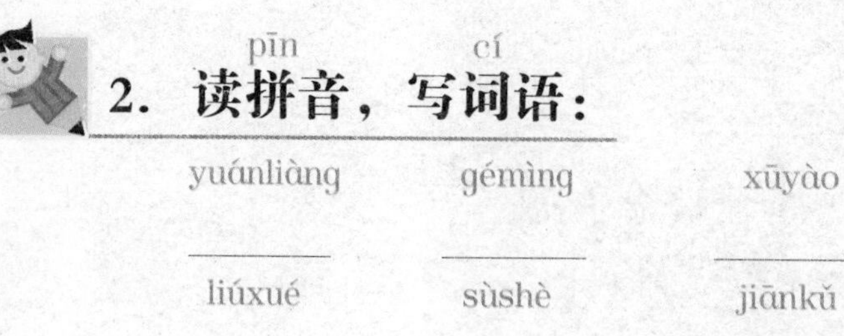

pīn　　cí

2. 读拼音，写词语：

yuánliàng ________　gémìng ________　xūyào ________

liúxué ________　sùshè ________　jiānkǔ ________

zǔ cí

3. 比一比，再组词语：

艰（　　）　敲（　　）　娘（　　）
坚（　　）　侨（　　）　谅（　　）

剩（　　）　摆（　　）　舍（　　）
胜（　　）　百（　　）　设（　　）

4. 改错别字：

(1) 孙中山在英国流学的时侯，生活非常艰苦。（　　）（　　）

(2) 几个中国留学生去看他，发现他连吃饭的钱都没有了。（　　）

(3) 这几个学生凑了40英镑(bàng)，送给孙中山补帖生活。（　　）（　　）

(4) 他们来到孙中山的宿舍门口，敲了半天门都没人答应。（　　）（　　）

(5) 孙中山说：“请原凉，我正在看书。”（　　）

(6) 我还乘下10英镑(bàng)呢！（　　）

5. 读课文，填(tián)空：

孙中山先生是中国________的伟大先行者。

有一天几个中国留学生一起去孙中山的____看他，发现他的生活很______，______连吃饭的钱都没有了。

____前，这几个留学生凑了40英镑(bàng)，送给孙中山____生活。

三天____，这几个留学生又____去看孙中山。来到孙中山的____门口，他们____了半天门，都没有人____。“____，先生也许不在，我们下次再来吧。”

6. 造句：

(1) 一生____

(2) 留学____

(3) 艰苦____

(4) 几乎____

(5) 半天____

(6) 答应____

7. 读课文，判(pàn)断句子，对的打“√”，错的打“×”：

(1) 孙中山是中国伟大的科学家。 (　)

(2) 几个留学生送给孙中山一点儿钱，想让他多买些书。 (　)

(3) 孙中山把这些钱都用来买好吃的了。 (　)

(4) 孙中山觉得买书比买吃的还重要。 (　)

(5) 几个留学生来到孙中山的宿舍看他，但是没见到他。 (　)

(6) 孙中山买的新书大概(gài)需要30英镑(bàng)。 (　)

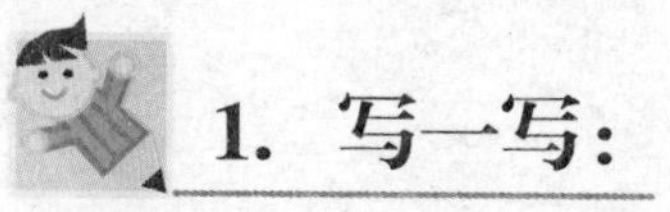

1. 写一写:

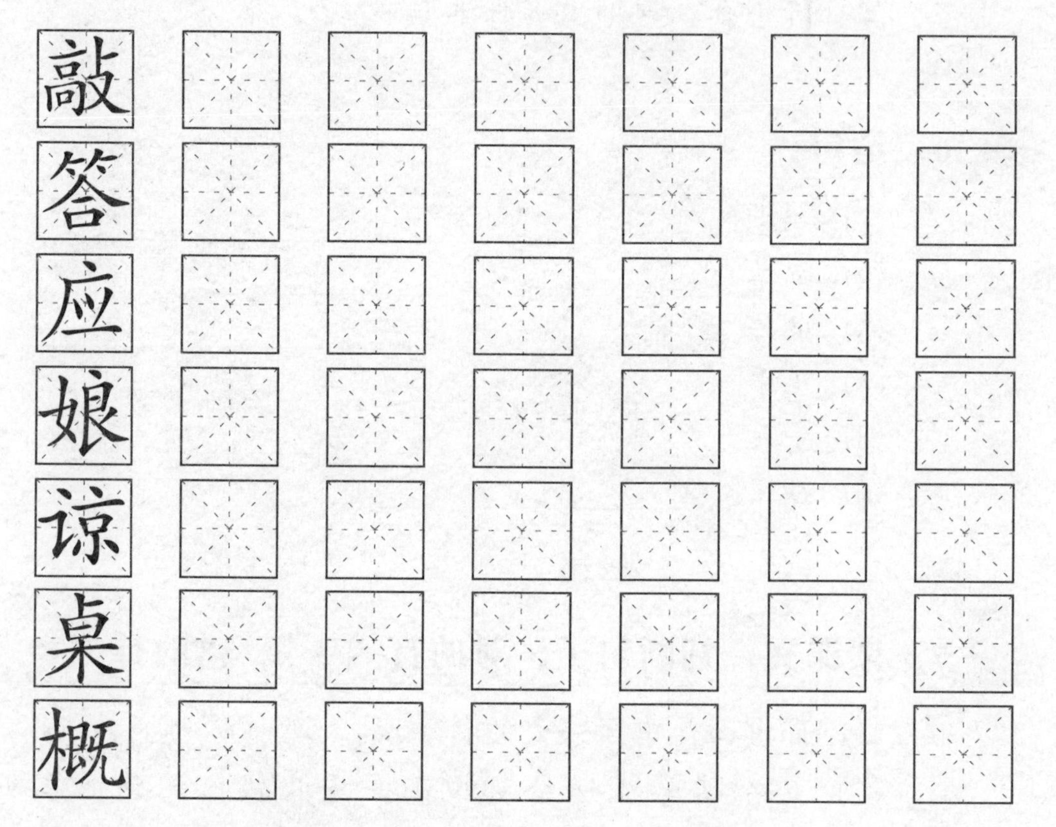

2. 写出下列(liè)字的部首:

艰→____　　敲→____　　宿→____

答→____　　谅→____　　命→____

应→____　　娘→____　　搞→____

3. 连一连，组词语（zǔ cí）：

民　一　姑　答　宿　原　凑

生　应　主　谅　合　舍　娘

______ ______ ______ ______ ______ ______ ______

4. 比一比，再组词语（zǔ cí）：

艰（　　）	搞（　　）	命（　　）
根（　　）	高（　　）	舍（　　）
宿（　　）	需（　　）	谅（　　）
伯（　　）	雪（　　）	凉（　　）

5. 连词（cí）成句：

(1) 买　有　我　还　钱　书

____

(2) 敲　他们　半天　了　门

____

(3) 应该　的　你　吃　买　多一些

____

(4) 也许　先生　在　不

____

(5) 桌子　看见　新书　摆　了　满　他们　上

____

(6) 觉得　我　买书　比　还　重要　买　吃的

____

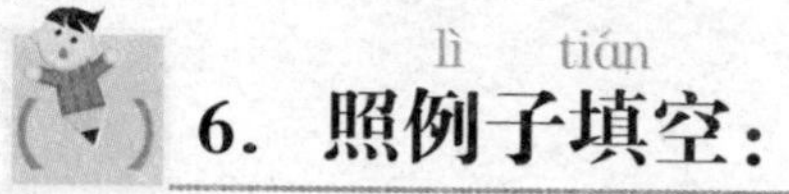

6. 照例(lì)子填(tián)空：

买书		买吃的		重要。
				高。
爸爸	比		还	
				便宜。
				清楚。

7. 阅(yuè)读短(duǎn)文，判(pàn)断句子，对的打“√”，错的打“×”：

一次，孙中山与一位日本人谈话。这个日本人问他：“先生，您最爱什么？”孙中山回答：“革命。”这个日本人又问：“那么，除了革命之外，您最爱什么呢？”孙中山认真地思考了一会儿，答道：“女人。”这个日本人再问：“然后呢？”孙中山回答：“书。”

“啊，先生最爱的是革命、女人和书。”这个日本人继续说，“不知爱女人这一条该怎样理解？”孙中山说：“千百年来，中国女人的地位都十分低。然而，我认为“女人”和“母亲”是同义词。当妈妈的把自己的奶汁(zhī)喂给了孩子，当妻子的把自己最真诚(chéng)的爱献给了丈夫。她们是那么伟大，这难道不值得爱吗？”这个日本人听了连连点头。

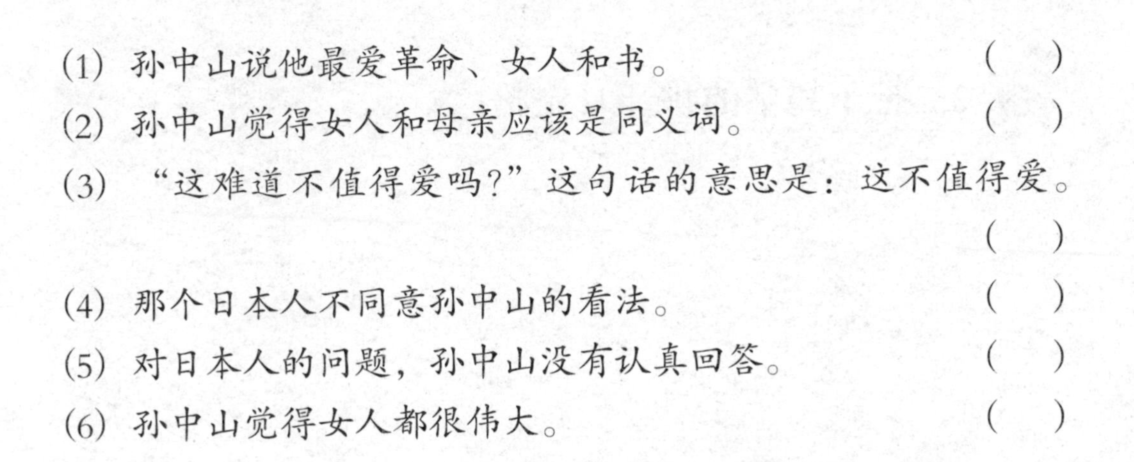

(1) 孙中山说他最爱革命、女人和书。 (　)

(2) 孙中山觉得女人和母亲应该是同义词。 (　)

(3) “这难道不值得爱吗?”这句话的意思是：这不值得爱。 (　)

(4) 那个日本人不同意孙中山的看法。 (　)

(5) 对日本人的问题，孙中山没有认真回答。 (　)

(6) 孙中山觉得女人都很伟大。 (　)

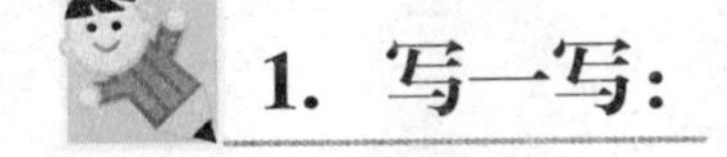

1. 写一写:

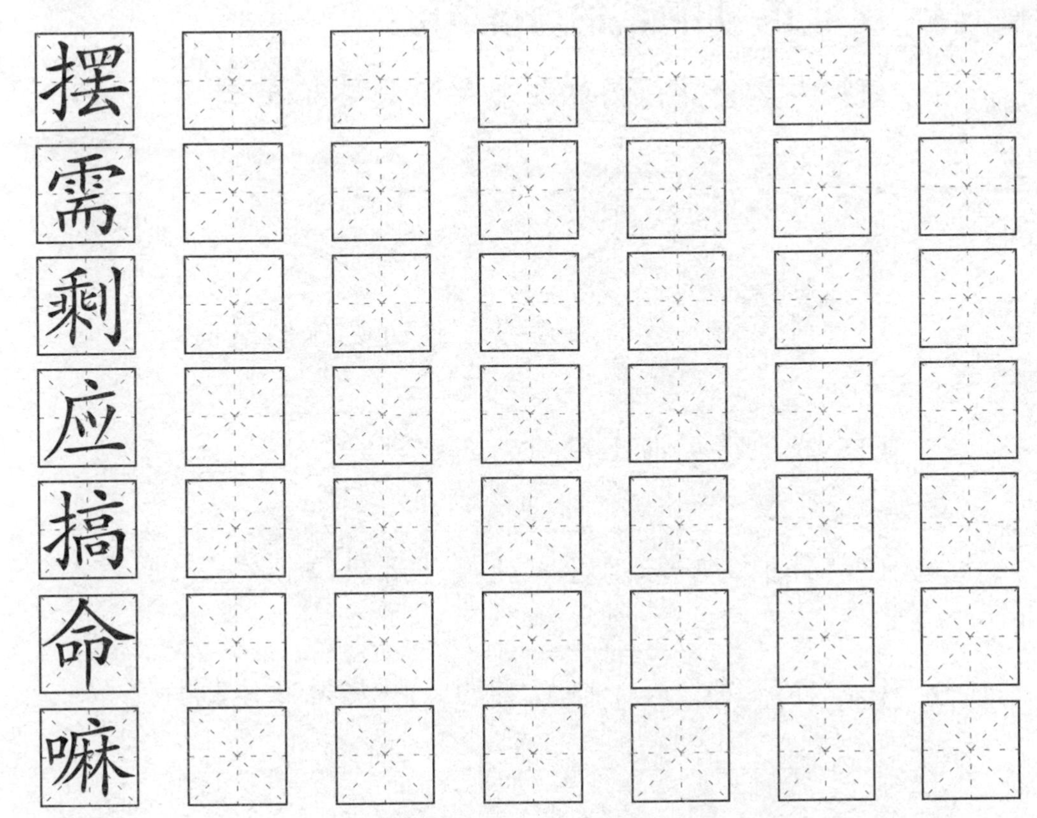

2. 把下列(liè)字的拼(pīn)音写完整：

__iáng	l___	__ù
娘	谅	宿
__iáng	l___	__ù
良	亮	树

3. 照例(lì)子连一连，组(zǔ)词(cí)语：

革　敲　剩　答　留　艰　几

乎　苦　命　学　门　下　应

______　______　______　留学　______　______　______

4. 读句子，用画线的词(cí)语造句：

(1) 大家一算，买这些书大概需要30英镑(bàng)。

____

(2) 等一下，我来敲。

____

(3) 请原谅，我正在看书，没听见你们敲门。

____

(4) 我觉得买书比买吃的还重要。

____

(5) 孙中山不好意思地说：“请原谅。”

____

(6) 你应该多买一些好吃的，不要把身体搞坏了。

____

lì tián
5. 照例子填空：

你	还有钱	买书？
	还有时间	
		看电影？
	还有空儿	
方方		
		吃晚饭？

6. 改病句：

(1) 他都连吃饭的钱几乎没有了。

____

(2) 他敲门了半天，都没有人答应。

____

(3) 买这个书包需要40美元大概。

____

(4) 这是买的书用钱你们送给我的。

____

(5) 几个留学生去看他，发现很艰苦他的生活。

____

(6) 我觉得买书还重要比买吃的。

____

7. 把课文读给爸爸妈妈听，让他们评评分：

评　分	家长签名

1. 写一写：

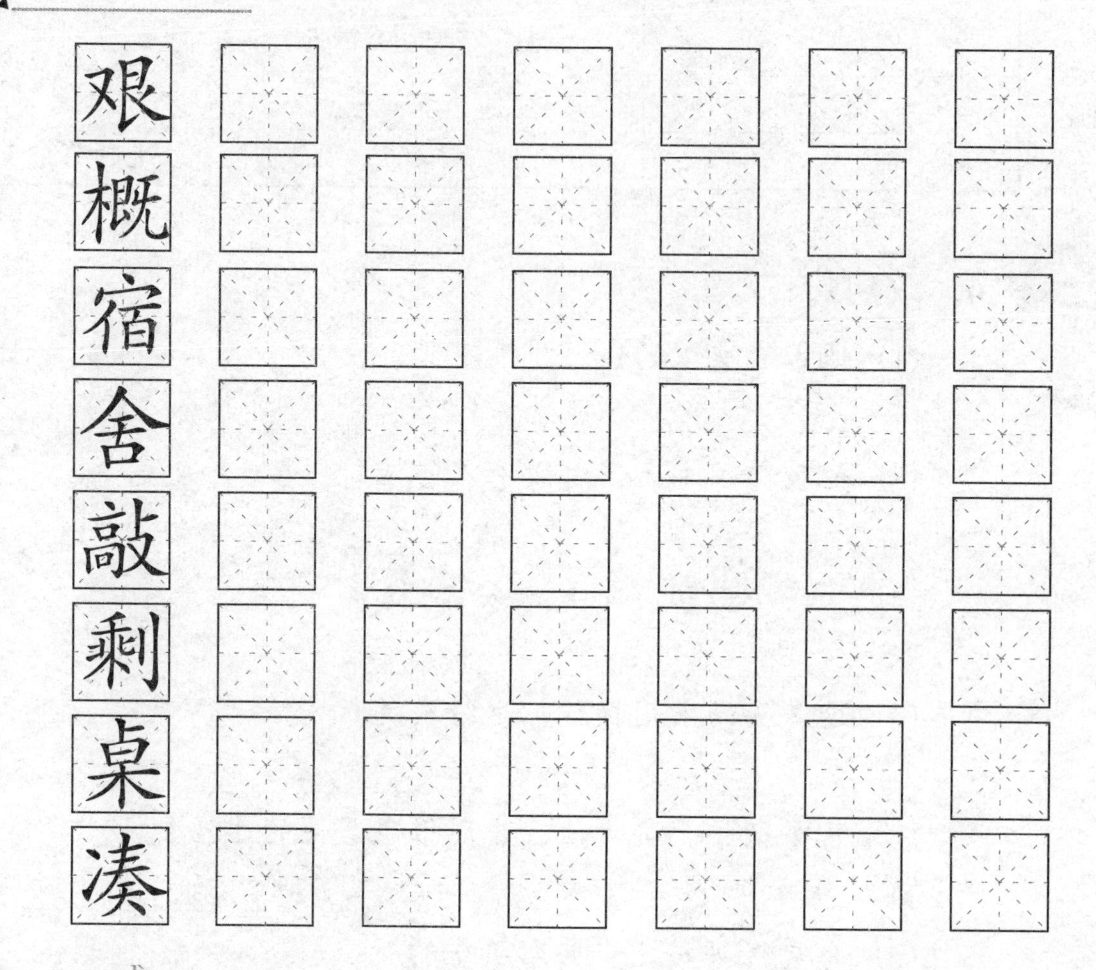

2. 照例子写一写：

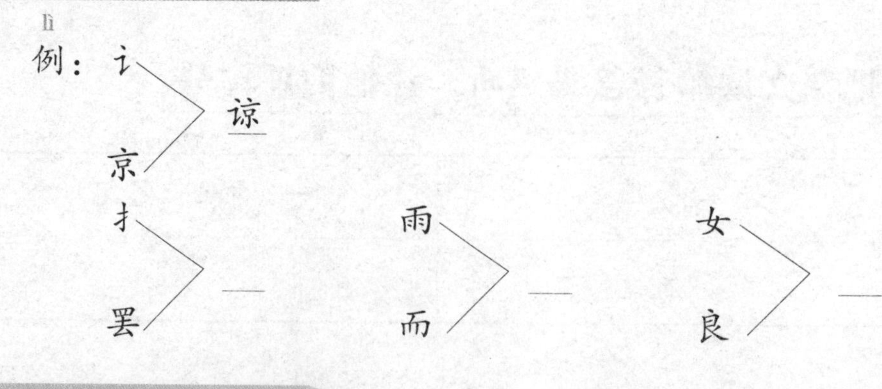

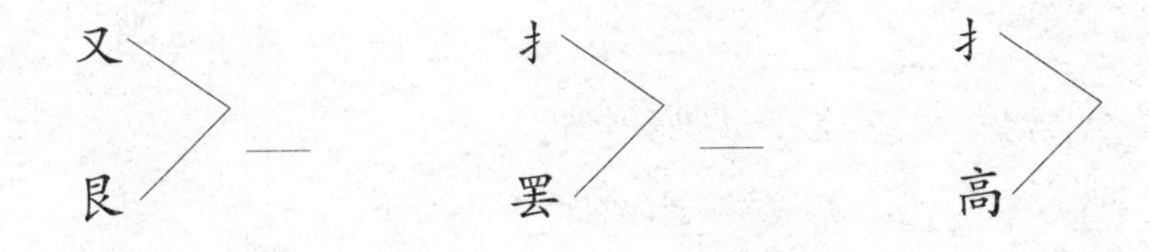

zǔ cí
3. 比一比，再组词语：

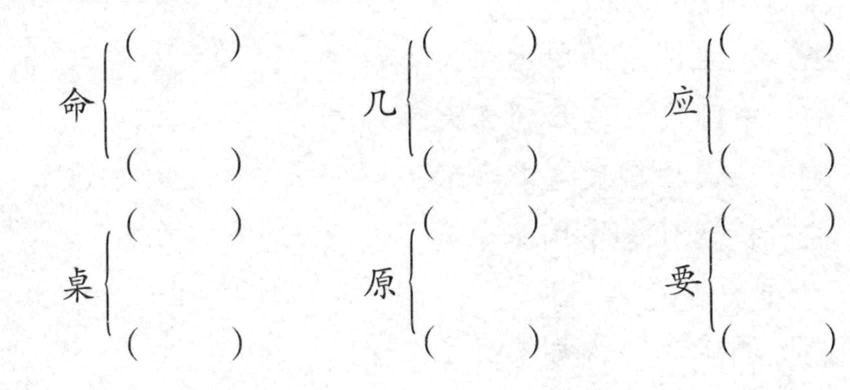

lì tián
4. 照例子填空：

lì
例：补贴 生活

需要________ 原谅________

摆满________ 剩下________

答应________ 听见________

喜欢________ 发现________

xuǎn zé àn tián
5. 读课文，选择正确答案填空：

(1) 三天以后，________________。

A. 这几个留学生去又看孙中山

B. 又去看孙中山这几个留学生

C. 这几个留学生又去看孙中山

D. 又这几个留学生去看孙中山

(2) ________，不要把身体搞坏了。

A. 你多应该买些好吃的

B. 你应该买多一些好吃的

C. 你买多一些好吃的应该

D. 你应该多买一些好吃的

(3) 孙中山是________。

A. 民主革命的中国伟大先行者

B. 中国民主革命的伟大先行者

C. 伟大中国民主革命的先行者

D. 民主伟大中国革命的先行者

(4) 学生们发现他________。

A. 连吃饭的钱都没有了几乎

B. 几乎连吃饭的钱都没有了

C. 几乎吃饭的钱没有了

D. 几乎都连吃饭的钱没有了

(5) 大家一算，________。

A. 这些书买大概需要30英镑(bàng)

B. 买这些书大概需要30英镑(bàng)

C. 大概买这些书30英镑(bàng)需要

D. 大概需要买这些书30英镑(bàng)

(6) 孙中山笑着说：“________。”

A. 买书比买吃的还重要我觉得

B. 我觉得买书比买吃的还重要

C. 我觉得买吃的还重要比买书

D. 买吃的比买书还重要我觉得

6. 造句：

(1) 算了 ____________________

(2) 剩下 ____________________

(3) 摆满 ____________________

(4) 大概 ____________________

(5) 发现 ____________________

(6) 奇怪 ____________________

7. 照例子填空：

lì tián

算了，	他也许不在。

1. 照例(lì)子连一连，组词(zǔ cí)语：

姑　半　桌　需　搞　民　宿　大

子　坏　舍　娘　天　要　概　主

____　____　____　姑娘　____　____　____　____

2. 比一比，再组词(zǔ cí)语：

高（　　）　娘（　　）　需（　　）
敲（　　）　艰（　　）　零（　　）

惊（　　）　搞（　　）　很（　　）
谅（　　）　高（　　）　银（　　）

3. 连一连，读一读：

命　答　舍　短　剩　矮　娘　嘛

dā　ǎi　shè　mìng　shèng　ma　duǎn　niáng

xuǎn cí tián
4. 选词语填空：

剩下　应该　几乎　桌子　摆满　搞坏

(1) 妈妈把晚饭放在＿＿＿＿上了。

(2) 家里就＿＿＿＿我一个人，我有点儿害怕。

(3) 中国有名的旅游胜地爸爸＿＿＿＿都去过。

(4) 登机前＿＿＿＿先办好登机手续。

(5) 书桌上＿＿＿＿了我的汉语书。

(6) 总是不吃饭，身体会＿＿＿＿的。

tián
5. 读课文，填空：

一个男学生用力敲了一会儿，孙中山才来开门。他＿＿＿＿地说："请＿＿＿＿，我正在看书，没听见你们敲门。快＿＿＿＿！"

他们走进孙中山的宿舍，看见＿＿＿＿上＿＿＿＿满了新书。大家一算，买这些书大概＿＿＿＿三十英镑(bàng)。

留学生问孙中山："你＿＿＿＿吃饭的钱＿＿＿＿不够，＿＿＿＿有钱买书？""这是用你们＿＿＿＿我的钱买的，我还＿＿＿＿十英镑(bàng)呢！""你＿＿＿＿多买一些好吃的，不要把身体＿＿＿＿了。"孙中山笑着说："只要＿＿＿＿就行了＿＿＿＿。我觉得买书＿＿＿＿买吃的还＿＿＿＿。"

biāo liè xù
6. 标出下列句子的先后顺序：

(　) 孙中山到英国留学，生活很艰苦。

(　) 孙中山告诉几个留学生他觉得买书比买吃的还重要。

(　) 他们看见桌子上摆满了新书。

(　) 几个留学生发现孙中山几乎连吃饭的钱都没有了。

(　) 孙中山还有钱买书，留学生们觉得很奇怪。

7. 阅读短文，判断句子，对的打“√”，错的打“×”：

美国大发明家爱迪生和玛丽结婚那天，许多朋友都来祝贺他们。在婚礼即将开始的时候，爱迪生忽然对新娘说：“我要到工厂去，一会儿就回来。”玛丽以为他去拿什么东西，也没在意。

谁知，爱迪生迟迟不回来，新娘只好一个人接待客人。到了晚上十点多，爱迪生还没有回来，玛丽急得要命。一位朋友只好到工厂去找爱迪生。

爱迪生正在车床前干活，听到朋友叫他，他才抬起头来，问：“几点了?”朋友二话没说，拉起他就走。

见到玛丽，爱迪生赶忙向她说明原因，说自己忽然想出了改进自动发报机的办法，所以跑到工厂去做实验了……玛丽听后，只好原谅了他。

(1) 爱迪生不想接待客人，所以跑到工厂去了。 ( )

(2) 玛丽非常生气，也跑了。 ( )

(3) 爱迪生忽然想出了改进自动发报机的办法，所以跑到工厂去做实验了。 ( )

(4) 爱迪生和玛丽结婚那天，许多朋友都来祝贺他们。 ( )

(5) 爱迪生一直到十点还没回来，玛丽非常着急。 ( )

(6) 爱迪生发现时间已经很晚了，所以马上回家了。 ( )

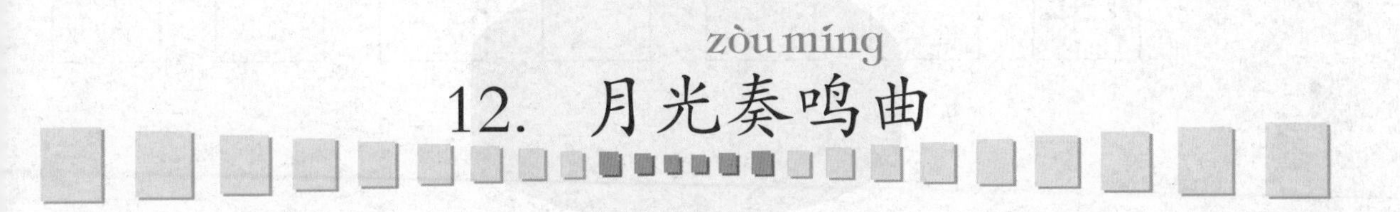

12. 月光奏鸣曲

zòu míng

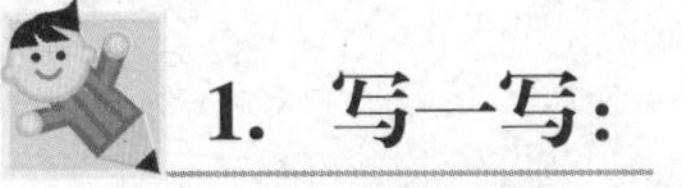

1. 写一写：

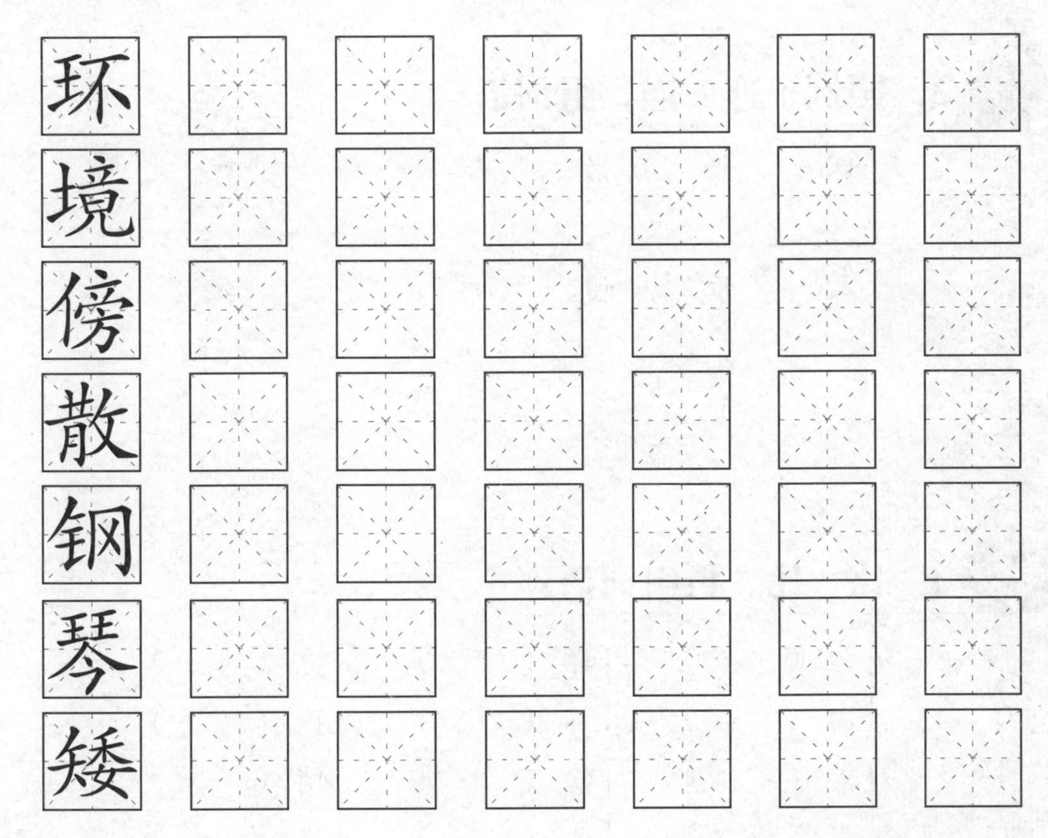

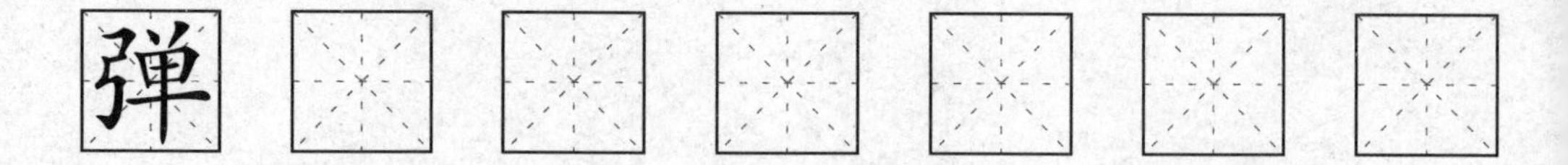

2. 照例(lì)子，写一写：

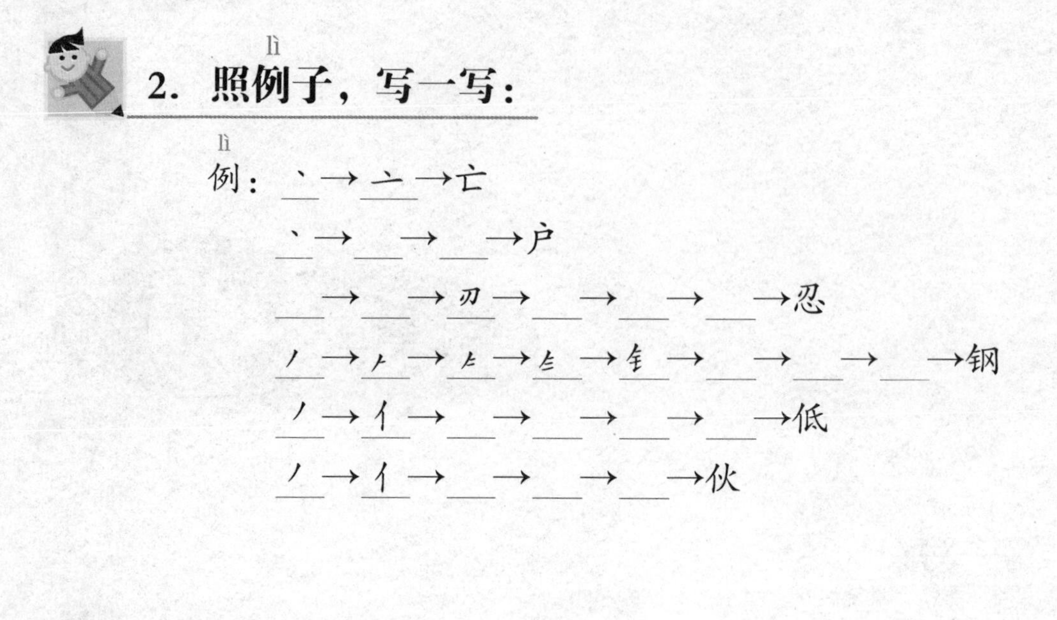

例(lì)：丶→亠→亡

丶→___→___→户

___→___→刃→___→___→___→忍

丿→𠂉→𠂉→𠂉→钅→___→___→___→钢

丿→亻→___→___→___→___→低

丿→亻→___→___→___→伙

3. 照例(lì)子连一连，组词(zǔ cí)语：

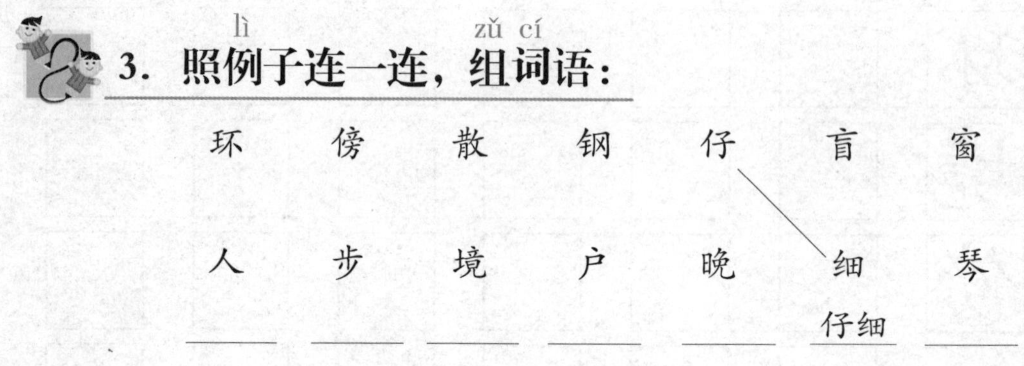

环　傍　散　钢　仔　盲　窗

人　步　境　户　晚　细　琴

___　___　___　___　___　仔细　___

4. 比一比，再组词(zǔ cí)语：

曲（　　）　环（　　）　境（　　）
由（　　）　杯（　　）　镜（　　）

景（　　）　傍（　　）　悄（　　）
影（　　）　旁（　　）　消（　　）

5. 连一连，读一读：

环　　境　　影　　乐　　庭

yǐng　　tíng　　yuè　　jìng　　huán

6. 读课文，填(tián)空：

贝多芬(fēn)是世界______上最伟大的______家。他1770年12月17日出生于德(dé)国。由于______家庭环境的______，他从小就______出音乐天才，长大以后，他非常______，年纪轻轻就写了不少音乐______，______越来越大。

一天______，贝多芬(fēn)出外______。天黑了，______出来了。明亮的______洒满了大地。突然，他被一______钢琴声______住。

7. 造句：

(1) 环境____________________

(2) 影响____________________

(3) 表现____________________

(4) 由于____________________

(5) 傍晚____________________

(6) 仔细____________________

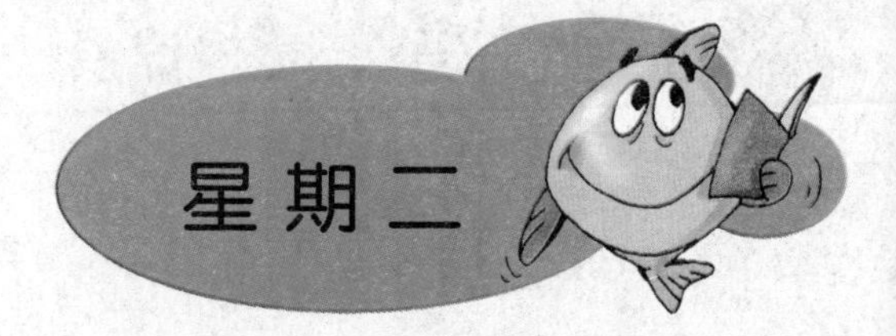

1. 写一写：

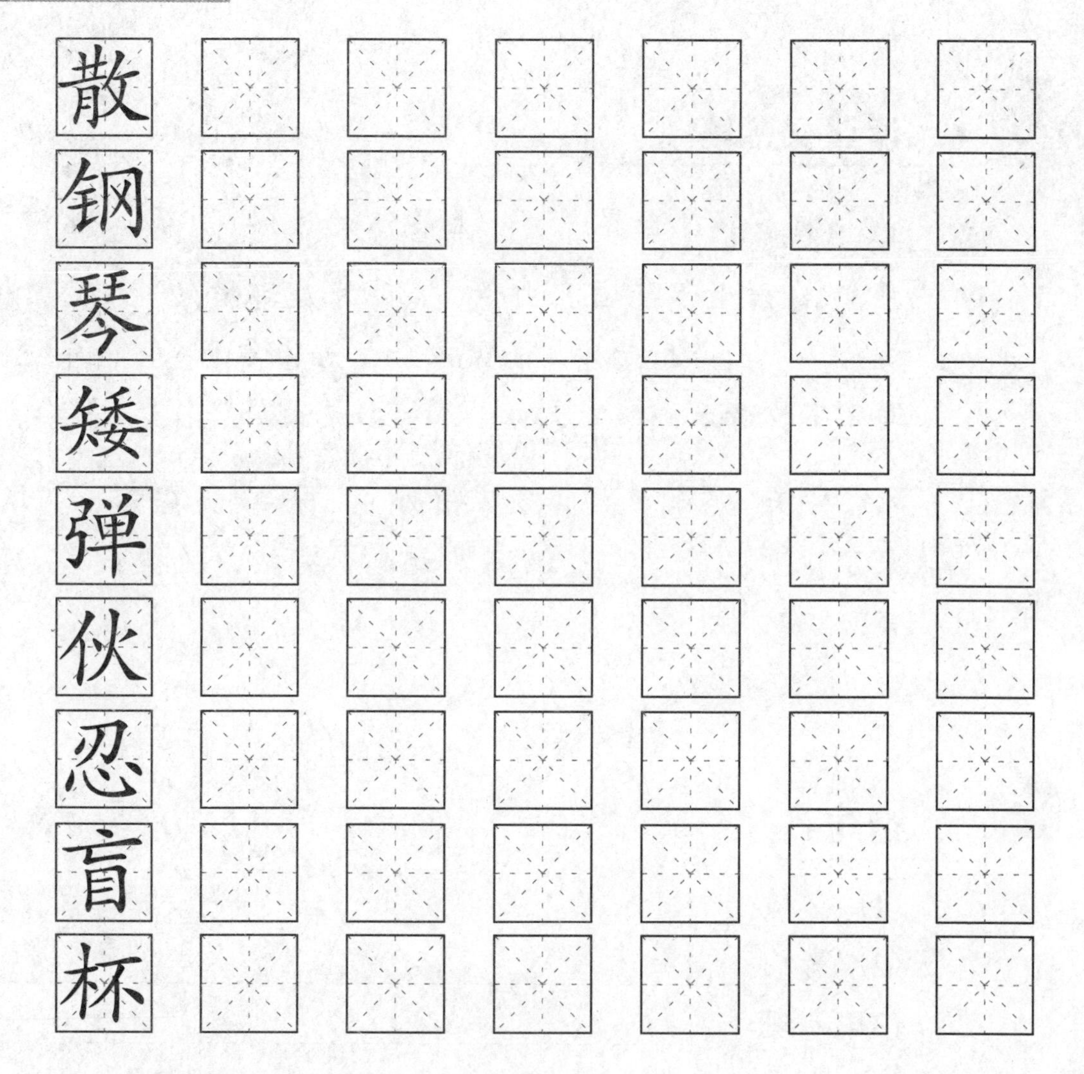

2. 在下列画线字的正确读音旁打“√”：

(1) 有一天<u>傍</u>晚，我在路上遇到了方方。

A. páng　　B. pàng　　C. báng　　D. bàng

(2) 我们晚饭后常常出去散步。

A. sān　　B. shàn　　C. shān　　D. sàn

(3) 我把刚才的曲子弹给你们听吧。

A. qū　　B. qǔ　　C. jū　　D. jǔ

(4) 突然，他被一阵钢琴声吸引住。

A. chín　　B. shín　　C. qín　　D. xín

(5) 他即兴弹了一首曲子。

A. xí　　B. qí　　C. jì　　D. jí

(6) 我们悄悄地离开了。

A. xiāo　　B. qiǎo　　C. qiāo　　D. qiào

3. 连一连，写一写：

一位	雕像	________
一支	门票	________
一阵	曲子	________
一张	作曲家	________
一座	茶	________
一面	琴声	________
一杯	红旗	________

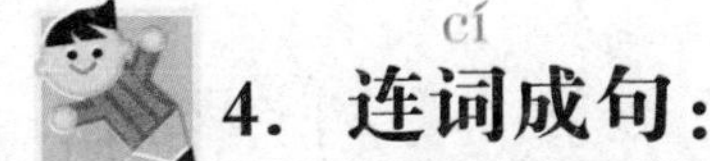

4. 连词(cí)成句：

(1) 是 作曲家 他 伟大 最 的 之一

____

(2) 刚才 我 曲子 弹 你们 把 听 听 那支 给 吧

____

(3) 姑娘 起来 赶快 站 让座

____

(4) 他 年纪 写 了 轻轻 作品 就 很多 音乐

____

(5) 被 他 一阵 吸引 住 琴声

____

(6) 他 屋里 说话 听见 有 人

____

5. 照例子填空：

lì tián

<table>
<tr><td rowspan="4">由于</td><td>受家庭环境的影响，</td><td rowspan="4">他</td><td>从小就表现出音乐天才。</td></tr>
<tr><td></td><td></td></tr>
<tr><td></td><td></td></tr>
<tr><td></td><td></td></tr>
</table>

6. 阅读短文，判断句子，对的打“√”，错的打“×”：

yuè pàn

海顿是莫(mò)扎特的老师，他对别人说自己没有弹不了的曲子。莫(mò)扎特听了很不服气，于是他写了首曲子，要考考老师。

海顿接过曲子，弹了几小段后便停了下来。他说：“这样的曲子怎么弹得了？我的两只手在钢琴两端弹着，而有一个音却在中间，除非我有第三只手。”莫(mò)扎特见老师被难倒了，便坐到钢琴前自己弹了起来。当他弹到那个令海顿无法弹的音时，忽然弯下身子，用鼻子弹出了那个音。

海顿见自己的学生如此聪明，开心地笑了。

(1) 海顿写了首曲子，要考考莫(mò)扎特。 (　　)

(2) 海顿说：“乐曲中的一个音，只能用第三只手来弹。” (　　)

(3) 莫(mò)扎特弯下身子，用嘴弹出了那个音。 (　　)

(4) 海顿见自己的学生这么聪明，非常高兴。 (　　)

(5) 莫(mò)扎特是海顿的老师。 (　　)

(6) 海顿说没有自己弹不了的曲子，莫(mò)扎特听了很不服气。 (　　)

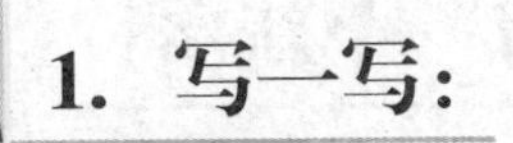

1. 写一写：

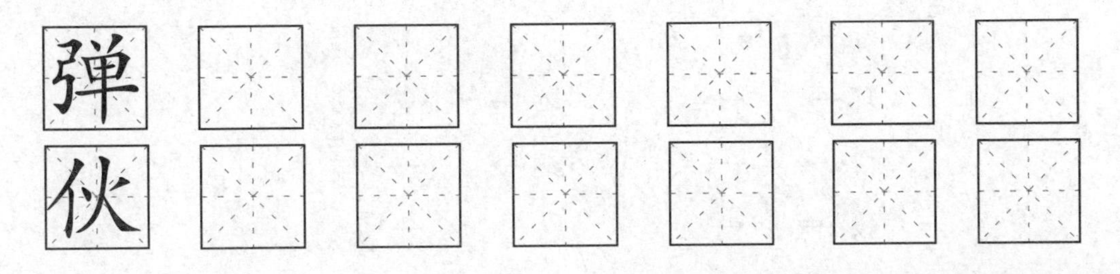

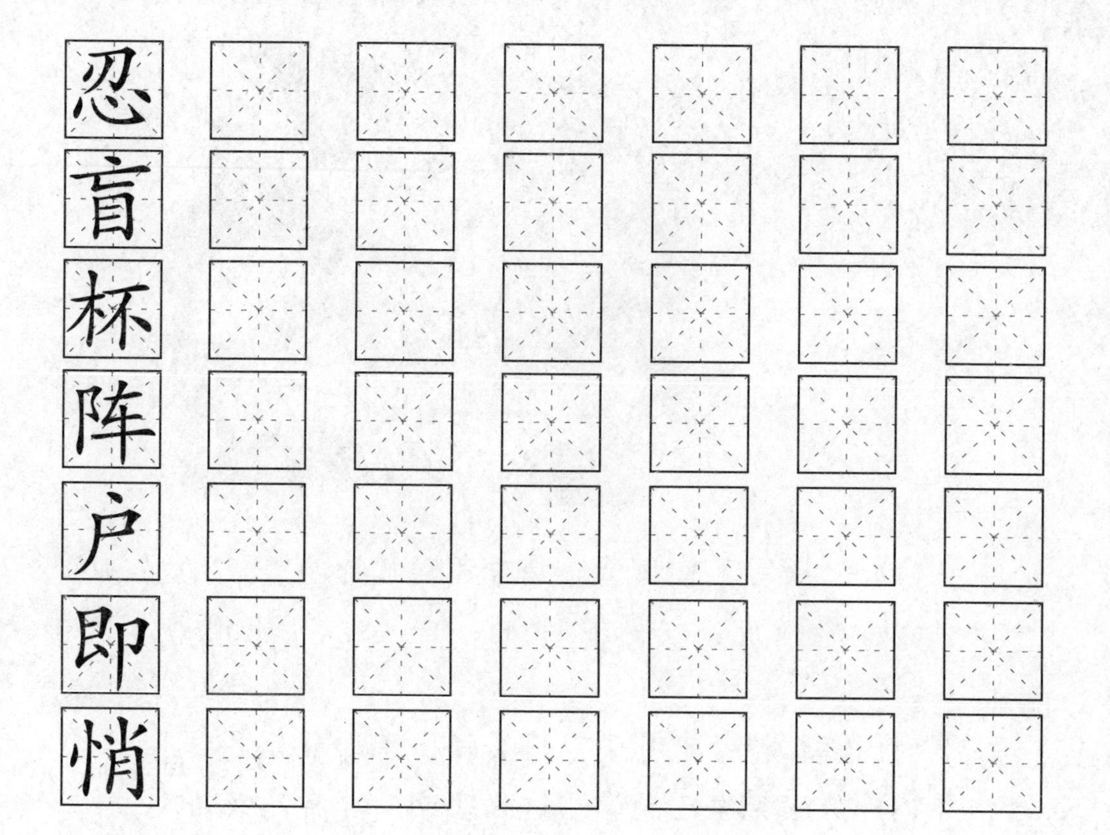

2. 读拼(pīn)音，写词(cí)语：

bàngwǎn ________ zuòpǐn ________ sànbù ________

xiǎohuǒzi ________ chuānghu ________ qiāoqiāo ________

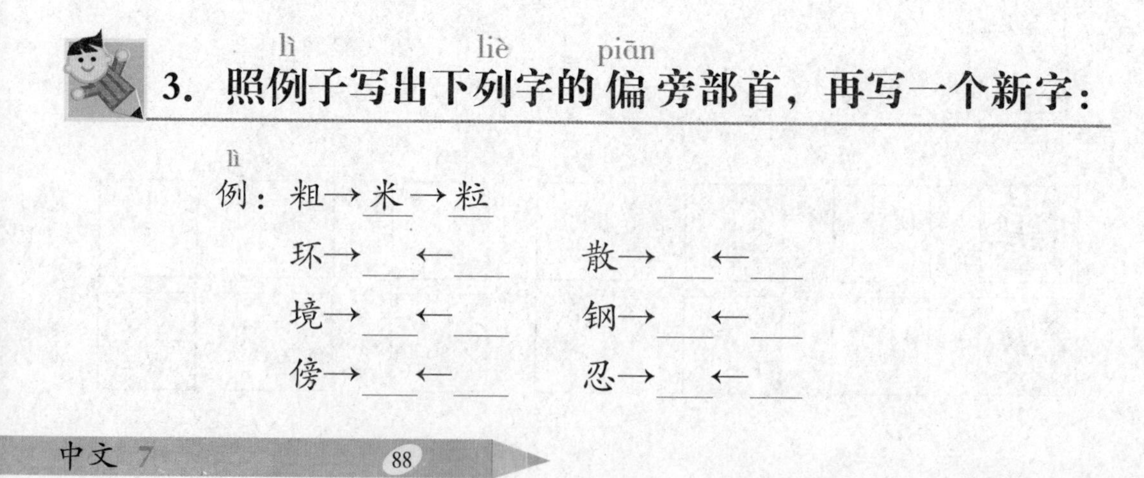

3. 照例(lì)子写出下列(liè)字的偏(piān)旁部首，再写一个新字：

例(lì)：粗→米→粒

环→____←____　　散→____←____

境→____←____　　钢→____←____

傍→____←____　　忍→____←____

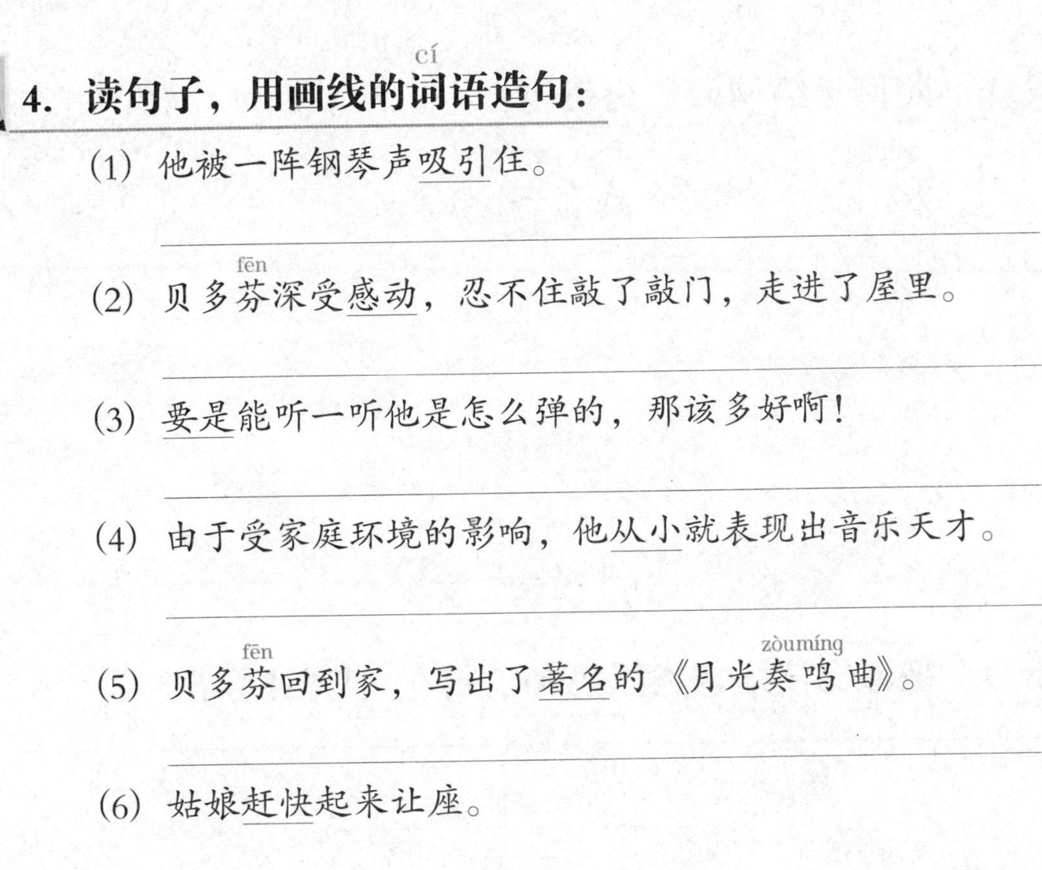

4. 读句子，用画线的词(cí)语造句：

(1) 他被一阵钢琴声吸引住。

(2) 贝多芬(fēn)深受感动，忍不住敲了敲门，走进了屋里。

(3) 要是能听一听他是怎么弹的，那该多好啊！

(4) 由于受家庭环境的影响，他从小就表现出音乐天才。

(5) 贝多芬(fēn)回到家，写出了著名的《月光奏鸣(zòumíng)曲》。

(6) 姑娘赶快起来让座。

5. 改病句：

(1) 音乐会的票太贵了，我们不买得起。

(2) 等我们钱有了，一定让你去听。

(3) 我刚才那支曲子弹给你们听。

(4) 贝多芬(fēn)写下了一口气刚才即兴弹的那首曲子。

(5) 贝多芬(fēn)悄悄地已经离开了。

(6) 月光洒满了小屋透过窗户。

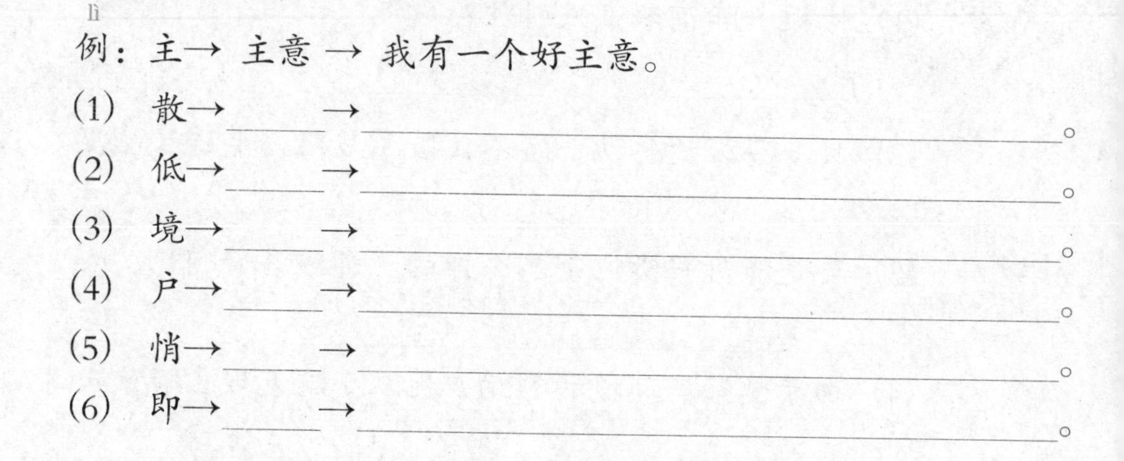

6. 照例子组词语，再造句：

(lì zǔ cí)

例：主→ 主意 → 我有一个好主意。

(1) 散→ ______ → ______________________________。

(2) 低→ ______ → ______________________________。

(3) 境→ ______ → ______________________________。

(4) 户→ ______ → ______________________________。

(5) 悄→ ______ → ______________________________。

(6) 即→ ______ → ______________________________。

7. 把课文读给爸爸妈妈听，让他们评评分：

评 分	家长签名

1. 写一写：

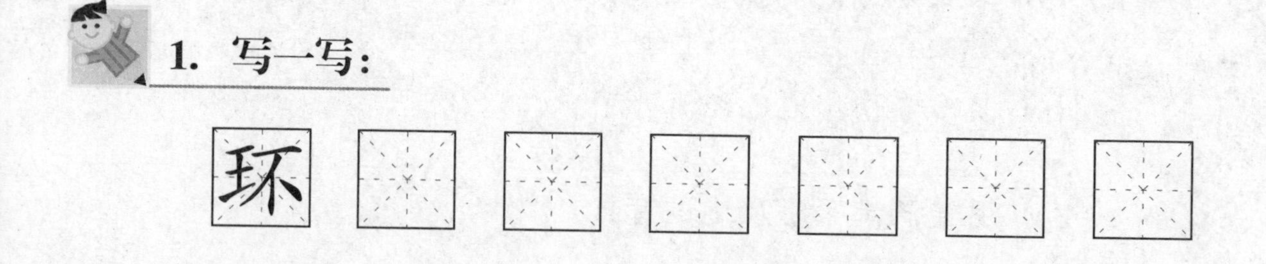

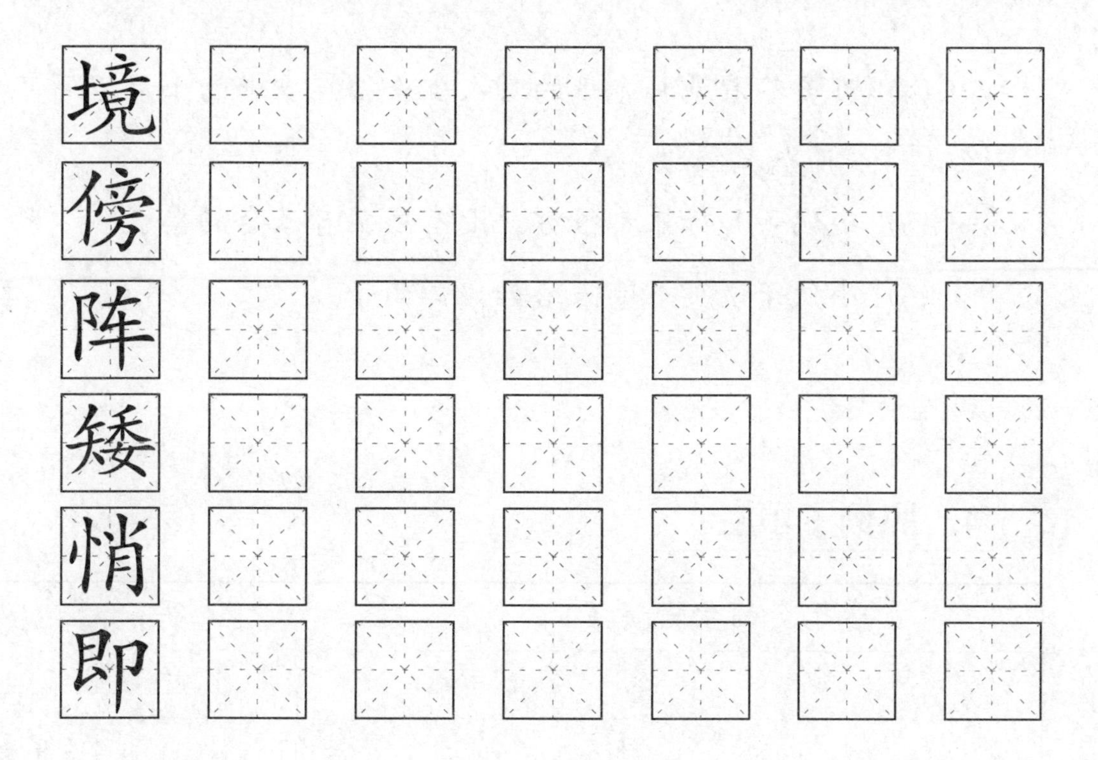

2. 照例子连一连，写汉字：

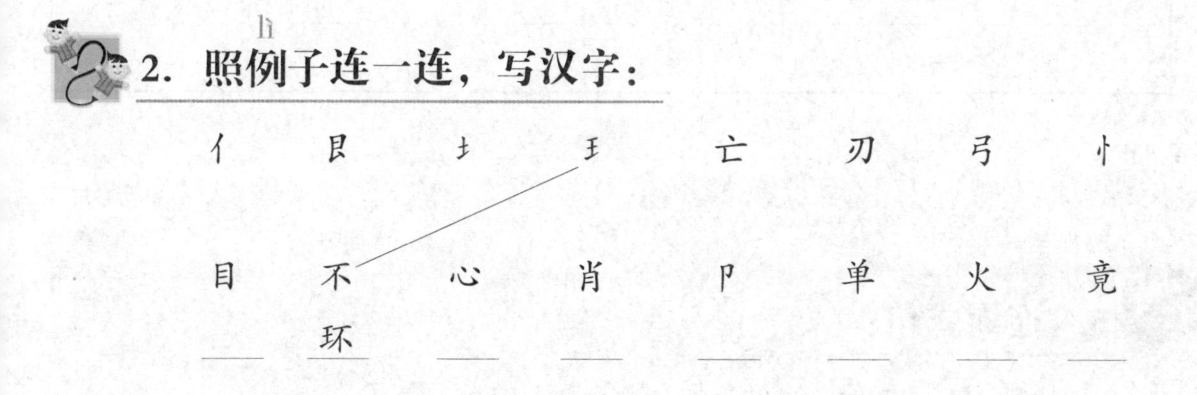

3. 读课文，判断句子，对的打“√”，错的打“×”：

(1) 贝多芬是世界音乐史上最伟大的作曲家。（ ）

(2) 那个姑娘经常去听音乐会，所以她的钢琴弹得很好。（ ）

(3) 在洒满月光的小屋里，盲人少女显得美丽而高贵。（ ）

(4) 贝多芬(fēn)看见月光下的盲人少女，在少女的小屋里写下了《月光奏鸣(zòumíng)曲》。 (　　)

(5) 小伙子和姑娘都很穷，没有钱买音乐会的票。 (　　)

(6) 小伙子请贝多芬(fēn)来给姑娘弹曲子。 (　　)

4. 照例(lì)子填(tián)空：

音乐会的票太贵了，	我们	买	不起。
		吃	
这狗太名贵了，			

5. 连词(cí)成句：

(1) 这 曲子 他的 弹 支 真 难

____

(2) 传 出来 琴声 是 小屋里 一座 从 的

____

(3) 他 弹 钢琴 坐 在 起来 前

____

(4) 月光 小屋 洒 满 窗户 了 透过

____

(5) 姑娘 好像 窗前 坐在 一座 雕像

____

(6) 小伙子 姑娘 和 入 神 了 听 得

____

6. 读课文，填(tián)空：

(1) 小伙子正在______；______坐在______前，是个______。

(2) 这时，一______风吹来，桌子上的灯______了，月光______过窗户______了小屋。

(3) 他________就________地即兴弹起了新的______。姑娘和小伙子听得______。

7. 造句：

(1) 平静______________________________

(2) 入神______________________________

(3) 忍不住_____________________________

(4) 一口气_____________________________

(5) 刻苦______________________________

(6) 好像______________________________

1. 把下列字的拼音写完整：

（liè 列，pīn 拼）

q___ 琴	r___ 忍	m___ 盲	___àng 傍	___iāo 消
q___ 清	r___ 任	m___ 慢	___áng 旁	___iāo 悄

2. 照例子写汉字，再组词：

（lì 例，zǔ cí 组词）

例：扌＋军→ 挥 → 指挥

矢＋委→ ___ → ______　　亥＋刂→ ___ → ______

氵＋西→ ___ → ______　　弓＋单→ ___ → ______

刃＋心→ ___ → ______　　王＋王＋今→ ___ → ______

3. 比一比，再组词语：

（zǔ cí 组词）

即（　　）　曲（　　）　钢（　　）
既（　　）　典（　　）　刚（　　）

伙（　　）　步（　　）　盲（　　）
火（　　）　少（　　）　忘（　　）